まちづくり幻想

地域再生はなぜこれほど失敗するのか

木下 斉

SB新書
538

はじめに

地方再生は今、ますます混迷の度を深めています。

戦後、地方交付税交付金という制度ができ、今は約16兆円が毎年配られています。その他各種インフラ整備、農林水産業、地域商業、社会福祉関連でも多額の予算が地方へと分配されています。さらに、2014年からは地方創生政策の柱として年間1兆円を超える予算が投じられましたが、それでも2019年には人口の東京一極集中は過去最高になりました。

2020年からは新型コロナウイルス感染拡大による「地方移住の加速」がメディアでは報じられましたが、各種人口の統計を見ると、東京からの流出は埼玉、千葉、神奈川のような近郊が主で、東京圏の優位が崩れるような流れにはなっていません。

なぜ、戦後一貫して国の莫大な財源が投入されたにもかかわらず、地方はますます衰退してしまうのでしょうか。地元をどうにかしたいと、膨大な予算を獲得し、事業に取り組んだ人たちが大勢いるのに、思う結果が出ないのはなぜなのでしょうか。

それは地域の多くの人たちが「まちづくり幻想」に囚われているからです。

「まちづくり幻想」とは、皆が常識だと思いこんでいるものが、実は現実とは異なり、それを信じ、共有してしまうが故に地域の衰退を加速させるという本質的な問題です。図に記したように、地域のプロジェクトには、単に「ヒト・モノ・カネ・情報」がたくさんあればよいのではなく、それらを取捨選択し、活用していく上でのベースになる「思考の土台」が必要になります。失敗する地域再生事業の多くは、取り組み以前に、この土台そのものに問題があるのです。

間違った土台の上に、どんなに膨大な経営資源を投入しても確実に失敗します。成功には偶然がありますが、失敗に偶然はありません。やってはいけないことを初期段階で行ってしまっているのです。しかし、途中で失敗していても「こういうのが活性化事業だ！」と信じ切って進めてしまったり、責任を追及されたくない一心で皆で破綻するまでやり続けてしまうことも少なくありません。

結果として、多額の労力と資金を費やしたのに、地元にとっては維持費がかかるだけ

地域が衰退する典型的な構造

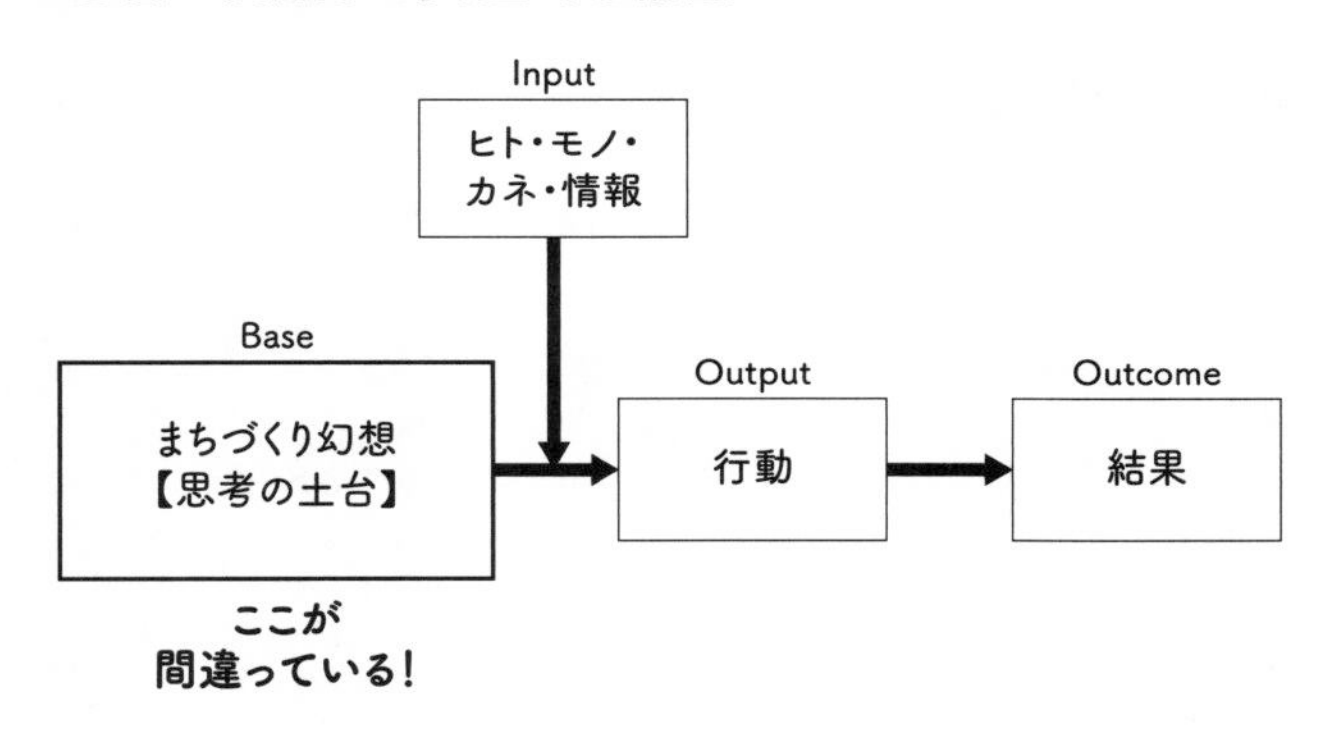

の無用の長物となったり、はたまた強かったはずの地場産業が滅んでしまったり、住みたくても移住せざるを得ないような状況になることが多くあります。

ここで一つ例を挙げましょう。地域プロジェクトにおいてよくある質問は、「何をやったらいいでしょうか」というものです。この質問は、どこかに「答え」が存在し、優れた人だけがそれを知っていて、だから間違わずに成功できるのだ、という「思考の土台」がある人の発想です。この質問そのものが間違いであり、失敗の始まりなのです。これこそが、幻想に囚われた人の思考の土台です。

他の地域の成功事例などわかりやすい答えを求め、自分は何一つ失敗もせず、他人のカネを使ってやれることはないか、と考えるような「思考の土台」がある限りは、失敗が続きます。成功する人たちはそもそもそんな考えを持っていません。成功の理由は自分たちで考え、自分たちのお金の範囲で失敗を繰り返し、改善を続けているからです。結果だけを真似ても意味がないことを、成功する人たちは理解しているのです。

そもそも地域に必要な事業は、どんなに優秀な人でも見ただけではわかりません。もしも「これをやったら再生する」なんて言い出す人がいたら、それは詐欺師ですから気をつけたほうがいいでしょう。しかし、都合のいい答えがあるという幻想を持つ人は、あっさりと引っかかったりするものです。

このように「思考の土台」がいい加減であれば、成果を生み出すのは困難なのです。どんな立派な建物をたてても、土台がいい加減なら必ず傾くのと同じです。すべては土台から始まるのです。だからこそ失敗を続ける地域活性化は、小手先のことではなく、そもそも多くの人が信じたり、やり過ごす幻想からの脱却という、思考の土台の作り直

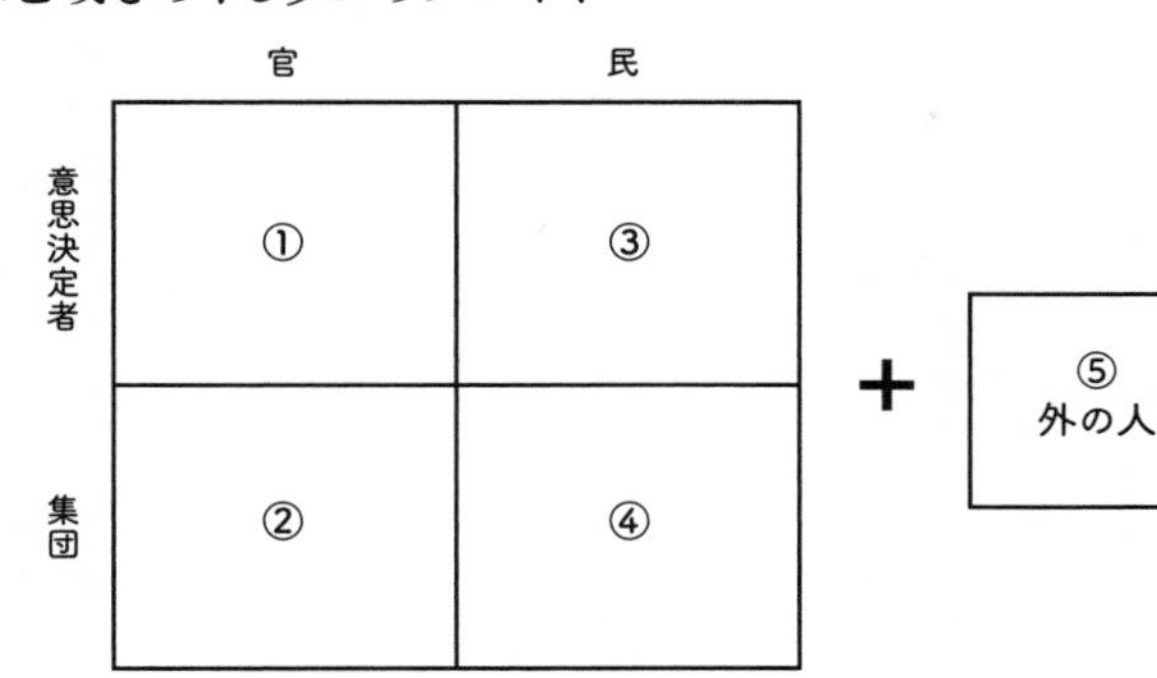

しから始めることが必要であり、合理的です。

まちづくり幻想5つの分類

本書では、膨大に存在している「まちづくり幻想」を正確にとらえ、対策を打っていく上で、指針となる「5つの分類」をもとに整理します。

まず、「思考の土台」とは、漠然とそこにあるというよりは、地域を構成する私たちそれぞれが持ち、日々判断や行動の基準になっているものです。そこで、地域に関わる人間の構成員をもとに「まちづくり幻想」を分類しました。

注意していただきたいのは、これは決

してそれぞれの人にとって固定的なものではないということです。一人の人間はいくつかの立場を持ちながら、日々地域で生活していることの方が多いでしょう。例えば、①行政側の意思決定者である人は、地元に戻れば地域における集団の一人（④）としての行動をとりますし、外の人（⑤）も、地域に溶け込んでいけば④になったり、行政雇用となり②として発想することもあるでしょう。

幻想は、一人であれば惑わされない場合も、集団になると流されてしまうものです。そのため、立場や状況に応じて確認をしていく必要があります。

「当たり前だと思っているけど本当にそうか」

「皆がそうだと言って進めているけど、そもそもその前提は合っているのか」

と、一歩引いて客観的に見る必要があるのです。私もまた油断をすると幻想に惑わされ、意思決定を誤ったり、わかっているのに放置をしてしまったりすることがあります。つまり全ての人の心の中に「幻想を信じたい」という思いがあるのです。

あらゆる局面で自分だけは大丈夫と思い込まず、ふとしたところで「思考の土台」がまちづくり幻想に囚われ、間違った意思決定や集団行動をとることがあると自覚しなくてはなりません。

賛同された善意の事業ほど失敗する

この「思考の土台」には、悪意や善意かは関係がありません。トラブルがあった時にも「良かれと思って……」という言葉が出てきますが、動機の善悪は問題ではないのです。「善意をもとにした事業がまちづくりでは大切」という考え方は幻想であり、むしろ周りから賛同される事業ほど危険なのです。

私もそうなのですが、周りから「その事業、面白いね」「絶対にやったほうがいいよ」「応援するよ」と言われるものほど、注意が必要です。なぜなら、自分でも「良かれと思って」やっていて、「周りからも賛同・承認されている」事業ほど進め方が雑になったり、計画の練度が低くなったりして、成果も伴わなくなるからです。むしろ反対されている事業のほうが、絶対に成功させるぞ、と考えて抜け目なく計画したり、計算をするので思うようにいったりします。

やる気があるのに裏目に出てしまう

早いもので高校時代から20年来、地域事業の仕事に関わっていますが、かつて現状の問題点を指摘し、自ら変革を行っていた若手・中堅の人が、歳を重ね、地元の有力者になると、いつの間にか「まちづくり幻想」に囚われ、むしろ地域の状況を悪化させていく主体者になってしまうという事象を多く目にします。立場が人を変えるのか、「ミイラ取りがミイラになる」とは言ったものです。

しかし、これは私を含めて「一寸先は闇、明日は我が身」でもあります。

衰退の原因となるやり方を、意思決定する立場の人たちは「正攻法」であったり、「当たり前」ととらえているからです。かつては違和感があって、若い頃は「おかしいな」と思っていた人すらも、時代の変化に追いつけなくなって、誤った意思決定の指示に従い続け、異論を唱えれば叩かれることを繰り返しているうちに、いつの間にか幻想を信じ、間違った意思決定をしていく人になってしまうのです。「幻想」を疑うことをやめて、同調圧力に従ったほうが、地域でも「いい人」として評価されやすく、予算事業の割当をもらえて経済的な成功をおさめやすいということもあるでしょう。しかし、その結果、どこの地域も、衰退は止まらず、日本全体の活力も失われ続けます。

私は、どんなにひ弱な意思決定者であろうと、無力な組織や地域を構成する集団の一人であろうと、さらに言えば、その地域に縁もゆかりもないような外の人であっても、「まちづくり幻想」を問い直し、各地域の実情にもとづいた意思決定をし、行動を起こせば、成果を積み上げていくことができると思っています。

そのために、本書では地方が衰退する原因である、「まちづくり幻想」を明らかにするとともに、失敗の原因について整理していきます。

常に点検と積み上げが近道である

地域に必要なのは、とんでもない大博打を打って獲得するような大成功ではありません。地域活性化の起爆剤なんて言われた地域のプロジェクトが、違う意味で起爆しているものを全国各地で見てきました。今、地域に必要なのは少なくとも後世に遺恨を残すような「とんでもない大失敗」をしないことなのです。

例えば、自治体としてそのような大博打を打って失敗をすると、とんでもないことになります。なぜならば今の日本の自治体には破産法は存在せず、過去のとんでもない事業の失敗は、後の世代が尻拭いするしかありません。具体的に言えば、夕張市のように、先人たちが産業転換の後に国による多額の支援を使い込みながらも成果を出さず、地元の負担になることを繰り返し、究極的にはその失敗を隠蔽するために市中銀行からの借り入れをもって長期間にわたる粉飾決算した結果、自治体財政が困窮極まったのです。その額は、標準財政規模約45億円の自治体で、実質負債は600億円を超えるまでに膨らんでいました。

このような大失敗の結果、今の世代が努力して稼いだものも、過去の負債返済に充てられています。活性化どころか、行政サービスはどんどん低下、2006年の財政再建団体入りから10年で夕張市の人口は子育て世代が半減する結果となりました。子育て世代には負担こそ増えても行政サービスは削減が続き、とても住みにくい地域になってしまったのです。

短期間での一発逆転「活性化の起爆剤」なんてものを求めるのも、まちづくり幻想です。そんな都合のいいものはありません。50年以上かけて衰退した地域を、なぜ1～2年の大型事業で復活させられるのか。寝たきりの老人にむち打って、短距離走の大会に出すようなものです。体調が悪くなることはあっても、優勝することなんてありえません。

これは政治、行政だけが悪いわけではありません。事業からの割当を望む民間企業のトップであったり、選挙でそのような政策を推進する人に票を入れる、はたまた斜に構えて傍観している地元民間の集団も主体の一つなのです。そしてその被害者になるのは、選挙権を持たない子供たちやこれから生まれてくる世代です。

結局のところ、根本的なところでの考え方を常に点検しつつ、一つ一つの取り組みを地道に積み上げていくというやり方が結果として成功への近道になります。

多くの成功地域は、外からみれば華やかな挑戦をしているように見えますが、いずれも、日々の地味な努力の結果でしかありません。そのリーダーがスーパーマンのように見えるのは、結果論でしかなく、どんな人も同じ人間です。周りからあれこれと批判されつつも、仲間たちと常に自らを問い直しながら取り組んだ結果として、他の地域では起きないような変化を生み出しているのです。

地元の状況、日々ぶち当たる問題、抱えている疑問と照らし合わせながら、ぜひ本書を読んでください。そして、まわりの仲間と語り合い、「それは幻想なのではないか」という点検を相互に行っていただく機会になればと思います。地域を変えるとは、まず自分の考え方を変え、日々の生活を変えることから始まります。むしろ自分の考えすら変えられないのに、地域を変えることはできないのですから。

まちづくり幻想

目　次

第3章 「地域の人間関係」という泥沼

第4章 幻想が招く「よそ者」頼みの失敗

第5章 まちづくり幻想を振り払え！

第1章

「コロナ禍で訪れる地方の時代」という幻想

地域での事業が、いつも幻想頼みになるのはなぜか。それは、事実関係を調べないスタンスに原因があります。地方の分野ではとくに、声の大きな人の「噂」を信じてしまったり、メディアが報じる不確かな情報を鵜呑みにしてしまうことで、判断を間違うことが多くあります。

もちろん地元紙には素晴らしい記事がありますし、それが地域を変えていくこともあるので「メディアを信用するな」と言うつもりはありません。しかし、一歩立ち止まって、報道を疑う必要があることもまた事実です。

例えば、最近よく耳にする「大企業の地方進出」の記事には注意が必要です。総じてこの手の報道では、「雇用創出何百人」「いよいよ東京の大企業が東京に見切りをつけて地方へ」といった論調で書かれることが多いのですが、そんな単純なことではありません。大企業による地方進出が地域のためになるには、いくつかの条件があります。それを無視して手放しで喜んでしまってはいけないのです。

1
大企業の地方拠点は手放しに良いことではない理由

大企業が地方拠点を設けることで地元が活性化したのは、特に戦後の電機産業などが国際競争力のある時代に、地方工場を続々と開発していた半世紀前のことです。

しかしそこには、条件がありました。

第一に、本社同様の「正社員雇用」が約束され、しっかりとした人件費が支払われることです。賃金＝所得によって地方の内需が拡大するからです。地元になかった大企業の正社員雇用先ができたことで、人口流出の抑止にも貢献しました。さらに、鉱工業関係の産業が地元にあれば、垂直統合で関連会社にも恩恵が及び、新たな経済が生まれることになります。

それが今では、工場が作られても、本社とは給与体系の異なる子会社、孫会社による工場開発であり、「非正規雇用」ばかり。さらに、地元から人が集まらないからと、外国人労働者の方々に頼るところも少なくありません。

しかも、ほとんどの工場では原材料どころか、部品も各地から集めてきて、組み立てなど一部工程を担うだけ。経済・産業に関する統計をみても経済効果は驚くほど限定的で、「本当に工場があるのか」と疑いたくなるようなところもあります。

つまり「大企業が地方拠点を作れば必ず地域が活性化する」というのは、随分と前のことであり、雇用条件、生産内容など細かく内実をみなければ、地域にとって良いかはわからないのです。

パソナの淡路島進出が評価される「怪」

２０２０年には人材派遣会社大手のパソナによる、淡路島への本社移転のニュースがありました。メディアは、「大企業が東京に見切りをつけて地方に移転する」ストーリーが大好きなので、「地方の時代だ！」と盛り上がります。しかし、それを鵜呑みにするのではなく、細かく実態をみなければなりません。

パソナの淡路島事業は、パソナふるさとインキュベーションという子会社が中心に取り組んできました。廃校を利用したマルシェ、レストラン。その他はカフェ経営などです。その他、グランピング施設、キティちゃんカフェなどもグループ各社で取り組んでいます。

しかしながら、関連会社の決算をみると順風満帆ではありません。

パソナグループが発表した２０１９年6～11月期の連結決算は、純利益が前年同期に比べて38％減の３億９２００万円。兵庫県淡路島などで手掛ける地方創生事業では３億９６００万円の減損損失を計上。さらに、２０２０年にはテーマパークを展開しているニジゲンノモリが、12億円超の赤字となり、６億５１００万円の減損処理を行っています。

このような状況で、同社はコロナ禍で本社機能の一部を淡路島に移すことを発表しましたが、これは「本社機能の一部」の移転であって、本店そのものを淡路島に集約するわけではありません。本店が移動しなければ法人登記上はこれまで通り。つまり、納税する自治体は東京都なのです。

就職氷河期対策にもならず、地方創生にも寄与しない

さらに、同社はコロナ禍における就職氷河期対策と銘打って、最大１０００人、２年間を上限に受け入れると報じられました。が、これも内実を見ると驚きます。

契約社員という非正規雇用をベースにしながら、正社員の7割給与。大学・大学院卒

が16万6000円、短大・専門学校卒は16万1000円なのです。さらに淡路島に居住することから、寮費2万600円と食費3万9600円、研修費に社会保険料、税金も取られれば手元にはわずかしか残りません。さらに非正規雇用でキャリアをスタートした後に2年で契約は終了、3年後からは、同社の派遣事業の人材になることが期待されているのではないかと勘ぐりたくなってしまいます。

まさしく「就職氷河期」の再来のような象徴的な雇用条件であり、氷河期世代の救済などではありません。

冒頭説明したように大企業の地方進出が地域に資する条件は、本社同等の給与を支払う「正社員雇用」でしたから、非正規かつ薄給でパソナが家賃、食費、研修費まで取ってしまえば地元に落ちるお金すら限定的なのです。

報道だけを鵜呑みにすると地域のための取り組みのように見えて、実は評価できないものが多々あるのです。ヘッドラインに踊らされないことが大切です。

撤退がリスクの企業城下町モデル

地域経営において大切なのは一過性の成果ではなく、中長期での安定基盤の設計です。

安定とは変化をしないことではなく、変化レベルをちゃんとわきまえること。にもかかわらず、自治体は地元につながりの少ないコンセプトの施設を一気に増やそうとします。これは地元経済・財政にとってインパクトが小さくありません。もし、それがなくなった時にどうするのか。自治体の多くは「そんなことは考えても仕方ない」と言いますが、多額の補助金を積んで行った工場誘致などの「末路」を、考えておいてほしいものです。

企業城下町は中核企業頼みの都市経営であるが故に、企業が事業縮小、撤退をするとなす術がありません。トヨタ自動車のお膝元である豊田市は、リーマンショックの時に、トヨタ自動車の法人税などが大幅に減少し、自治体の予算組み立てに苦慮することになりました。

例えば新日鉄（現在の日本製鉄）の衰退は、北九州市に大きな影響を与えることになりましたが、半世紀前に新日鉄の業績が悪くなるなんて誰が想像したでしょうか。その他にも、旭化成の企業城下町である宮崎県延岡市、宇部興産で繁栄した山口県宇部市中心部、日立グループが集積していた茨城県日立市など全国各地で悩みを抱える企業城下町は多数存在しています。

地域産業で大切なのは、一部の強い企業に頼るのではなく、重層的な集積です。それは中長期にわたって、地元資本で続けられていくことが大切なのです。安易な外資誘導、企業誘致では「この地域はだめだ」と切り捨てられた時、山高ければ谷深し、急激に落ち込んでいくことになります。

地域に必要な企業の条件とは

では、コロナ禍において選ばれる地域になる上で、効果的に機能する企業条件とはどのようなものでしょうか。

一つの好例は、北海道を中心に展開するドラッグストアチェーンであり、一部上場企業でもある「サツドラホールディングス」でしょう。

当然ながら地元から生まれた企業であるだけでなく、グループ会社に多様な企業を集め、さらに同社社員に申告の必要がない「副業解禁」を行っています。８００名以上の全社員のうち10％が副業している状況です。

さらに、本社・コワーキングオフィス・店舗を複合化した、先進的デザインの拠点を札幌市内に設け、道外企業とのコラボなどオープンな環境での魅力的な商品開発で成果を挙げています。

このように地方企業が、地元にとって多くの機会を提供してくれると、優秀な人材が集まり、新たな活力を作り出していくのです。

「さくらインターネット」による北海道のデータセンターは、先の条件を満たす取り組みの一つです。

もともと北海道は、寒冷地であることからデータセンターに必要な冷却エネルギーコストが安く済む利点があります。同社は進出時では他の企業のように地方向けの雇用形態で募集をかけ、拠点を運営していたそうですが、人材定着が著しく悪く、募集にも苦心していたといいます。そこで本社同様の正社員雇用にすべてを切り替えたところ、離職者がゼロになり安定的な経営が行われるようになりました。

付加価値の高いビジネスを展開できるインターネット関連企業だからこそできる面もありますが、人を買い叩くのではなく、正当な雇用を行うことの大切さを同社社長の田中邦裕さんは語っています。

かつて労働者の環境改善などを研究、実践する労働科学と日本で初めて向き合い、倉敷紡績などの社長を務めた名経営者に、大原孫三郎という人物がいます。

彼は労働者を酷使するばかりの経営に疑問を唱え、工場の室温管理など、より快適な労働環境と寮の整備、さらに適切な教育支援などの人材投資を積極的に行いました。周りの取締役からは「そんな無駄な金を使うな」と言われたものの、結果として勤労意欲が高まり、工場の労働生産性も著しく改善、同社の業績は競合企業と比較しても大きく成長しました。

また、熊本県上天草に定期船舶や観光船やマリーナを経営するシークルーズという企業があります。地元の中小企業ですが、閑散期などを利用して長期間の休みを従業員に積極的にとらせると共に、常に付加価値の高いサービスを作り出し、地域でナンバーワンの単価をとる観光船を作り出すと共に、全国から人材も集まっています。

適正な価格で、適正なお客様を集めることで、悪質な客を寄せ付けないため従業員の定着率も高く、採用ともなると都内を始め地域の有名大学から男女ともに就職希望者が集まります。サービス産業だからといって安くたくさんの客を集めて、従業員を酷使すればよいという時代は終わったのです。

このような企業が内外から生まれる地域には、さらなる企業が集まってきます。コロナ禍によってリモートワークが進むから、何もせずとも東京から人や企業がくるなんてことはありません。まずは、先駆的な取り組みを自分たちで始めなくてはだめなのです。大企業を誘致する、外からきてもらってどうにかしてもらう、そんな「思考の土台」を持っているのであれば、さっさと捨てて、まずは自分たちの会社からやり直すことが大切なのです。

スペインで一人あたり所得が高い州

ここ10年ほどスペインにおいて一人あたり所得が最も高い州は、バスク自治州というところです。失業率も低く、公的債務比率もスペイン平均より大幅に低くなっています。リーマンショックの時の経済の落ち込みもスペイン全体の縮小率よりも低いなど、堅調な経済を抱えています。最近ではバスク自治州にあるサン・セバスティアンが、人口一人あたりの星付きレストランの数が世界最高で、美食のまちとしても有名になっている地域でもあります。私も5年ほど前に訪問してから、交流の続く地域の一つであり、コロナ禍が明けたらぜひとも再訪したいまちです。

では、なぜバスク自治州はこれほど持続可能な経済を実現できているのでしょうか。

この地域の特徴の一つに、数千もの「労働者協同組合」があることが挙げられます。「労働者協同組合」は日本ではあまり聞き慣れない言葉ですが、簡単に言えば、自分たちでお金を出している会社で働く方式の組織です。社員が会社の株を持つ株主のようなイメージなのです。大きな労働者協同組合としてはモンドラゴンが有名で、グループ全体では1・6兆円を超える連結売上があり、約10万人を雇用する組織になっています。

このような企業モデルが、地域に多く存在することによる地元経済へのプラスは大きく2つあります。

一つは、労働者協同組合では労働者と経営者との間での賃金格差などを細かく規定しており、法外な収入を経営者が得ることがありません。そのため、組合員である社員に相対的には多くの賃金が支払われたり、配当が行われるため人々の平均所得が高くなる傾向にあります。

もう一つは、モンドラゴンなどの労働者協同組合は、消費生活協同組合とのハイブリッド型で、ショッピングモールやコンビニのようなデリを展開するなど地域内消費を支えています。つまり地元の人々が資金を出したモールで地元の人たちが買い物をしているのです。結果として、地元消費によって生まれる利益もまた、地元の人たちに戻っていくのです。

日本ではどうでしょうか。

地元以外の大手ショッピングモールや東京資本のチェーンストアでばかり買い物していませんか。労働者も、これら企業の経営者の給与とは比較にならないほど低いパート給しか出ず、地元の消費によって売れた利益は東京本社に還流して終わることばかりです。

このような地域経済の構造の違いが、地元の発展と衰退を分けるのです。単によその大企業が地域にきてくれることはいいことなのだ、なんていう幻想は、一旦立ち止まり疑わなくてはならないのです。

自分たちでできることを、自分たちで資金を出し合い、地元の中で回せないか。地元の活性化すら「他人任せ」にした段階で、もう先はありません。サッカーチームですら「バスク人しか認めない」というストイックな地元主義を貫き通すバスク人から学ぶべきことが、今の日本の地方には多くあるように思います。

2

「東京一極集中が終わった」というフェイクニュース

「コロナになって東京など大都市が衰退し、地方への移住が加速している！」

これは、コロナ禍でメディアが当初報じた幻想の代表例です。

密集する都市部よりも、過疎化の進む地方の方が感染確率が低い、さらにリモートワークになればどこでも働けるから地方に人が移動する、と言うのですが本当でしょうか。じつは、この観測は「東京は辛いところ、地方はよいところ」という幻想を前提にしています。そもそも、東京が必ずしもいいところでもないし、地方が必ずしも悪いところでもない。それは、個々人の価値観によるところなのです。

私は地元の方々とともに地方事業に投資、立ち上げを行う仕事を20年しているので、地方への大きな流れが起きることはもちろん大歓迎です。しかし、メディアで報じられる「地方の時代だ！」という報道の多くは、極端かつ希望的観測でしかないものが多く見られます。

例えば、東日本大震災の時にも、都会よりも地方の方が安全だといったことが盛んに言われ、危険な東日本から西日本へ人が移動しています、といったことが報じられました。「地方への関心は高まりましたか」とのアンケート調査をして、多くの人が「関心が高まっている」と解説していました。が、あえなく「関心」だけで終わりましたね。あの時に「そうだそうだ」と言っていた方々の誰も反省しません。反省しないのでまた同じようなことを繰り返します。

単に「関心が高まる」だけでは「行動につながる」ところまではいきません。

実際、東京都内への人口移動は２０２０年後半にわたり低下したものの、東京都人口が急減しているわけでもありません。東京から出ていった人は、実は地方ではなく、郊外に向かいました。移動先トップ３が埼玉、千葉、神奈川です。

約１３００万人を抱える東京都の人口は地方には向かわず、東京圏内の埼玉、千葉、神奈川への移動が多少見られました。東京23区は大阪市に次ぐ1．3万人の人口転入超過、東京都全域では約３．1万人の転入超過となりました。東京圏では約10万人の転入超過ですから、これだけ未曾有のインパクトがあっても東京圏の吸引力が逆転することはありませんでした。

つまり、「コロナ禍によって東京一極集中は変わらず、地方への人の移動はなく、東京圏の多少の郊外化が現れた」と考える方が妥当です。

90年代後半から都内の高層開発が解禁になり、タワーマンションなどによって都心回帰が進むまでは東京都心は人口減、郊外に自宅を建てて通勤するドーナツ化現象があったのは、多くの方もご存じの通りです。コロナ禍で多少の都心吸引力が低下したものの継続的に都心回帰は続き、少しばかり郊外化が戻ったのが現在の正当な評価です。

それでは味気ないので「東京の終わり・地方の時代」と言いたくなる気持ちもわからなくはありませんが、それを信じてしまっては、間違った「幻想」をもとに政策や事業を組み立てることになり、非常に危険です。まちから1人でも新型コロナ感染者が出れば大騒ぎになるローカルエリアに、のこのこと都民が引っ越せるわけがないのは、少しまわりを見渡せばわかることでしょう。

東京都人口の真実〜実は増加していた東京都人口〜

幻想の原因は、統計を見ないことから起きています。東京都の人口はコロナ禍で激減して地方に移動したのか。統計を見てみましょう。

令和3年1月1日付けの東京都人口は13，960，236人となっており、この1年で8，600人増加しており、平成9年以降、25年連続での人口増を維持しています。社会増減は29，618人増加しており、うち日本人37，505人増加、外国人7，887人減少という構図です。自然増減では18，537人減少しており、うち日本人は21，006人減少、外国人2，469人増加となっています。

一方、令和2年の日本総人口は約50万人減少しています。東京は差し引きで人口増を維持していますから、これは地方における人口減少が中心であり、相対的な「東京一極集中」は全く解決していないどころか従来通りと言えます。


そしてこのような資料は毎月東京都が発表しているため、リアルタイムで見ても東京から急に人がいなくなるような状況ではないことは明らかでした。このようにちゃんと資料を見れば、大騒ぎするのが過剰だとわかります。

不動産市場はよりリアルです。実需としても人口増加がこれだけの状況でも継続し、さらにそこに金融緩和で資金が供給されていることもあり、東京都内の不動産市況は上

総人口（推計）の月別推移（平成30年〜令和２年）

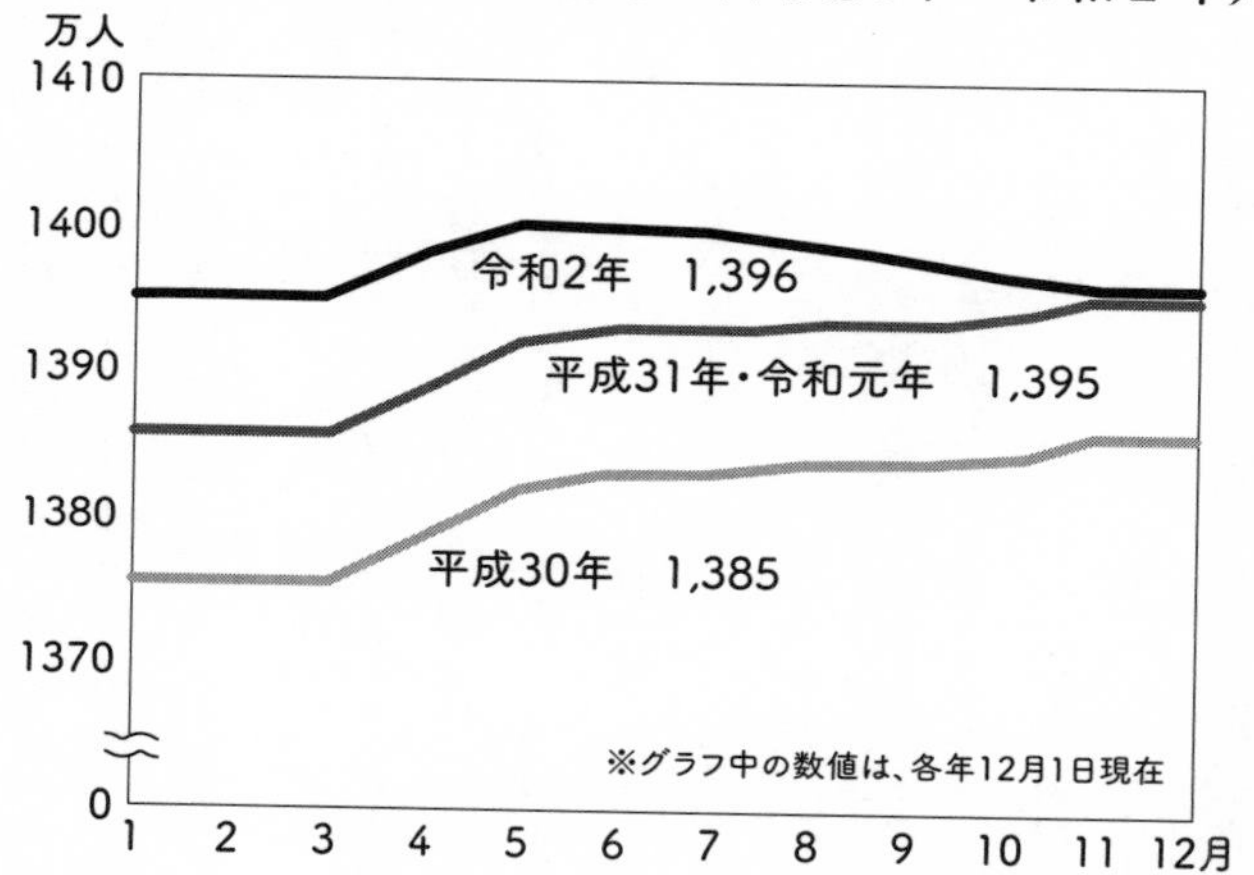

対前月増減数の月別推移（平成30年〜令和２年）

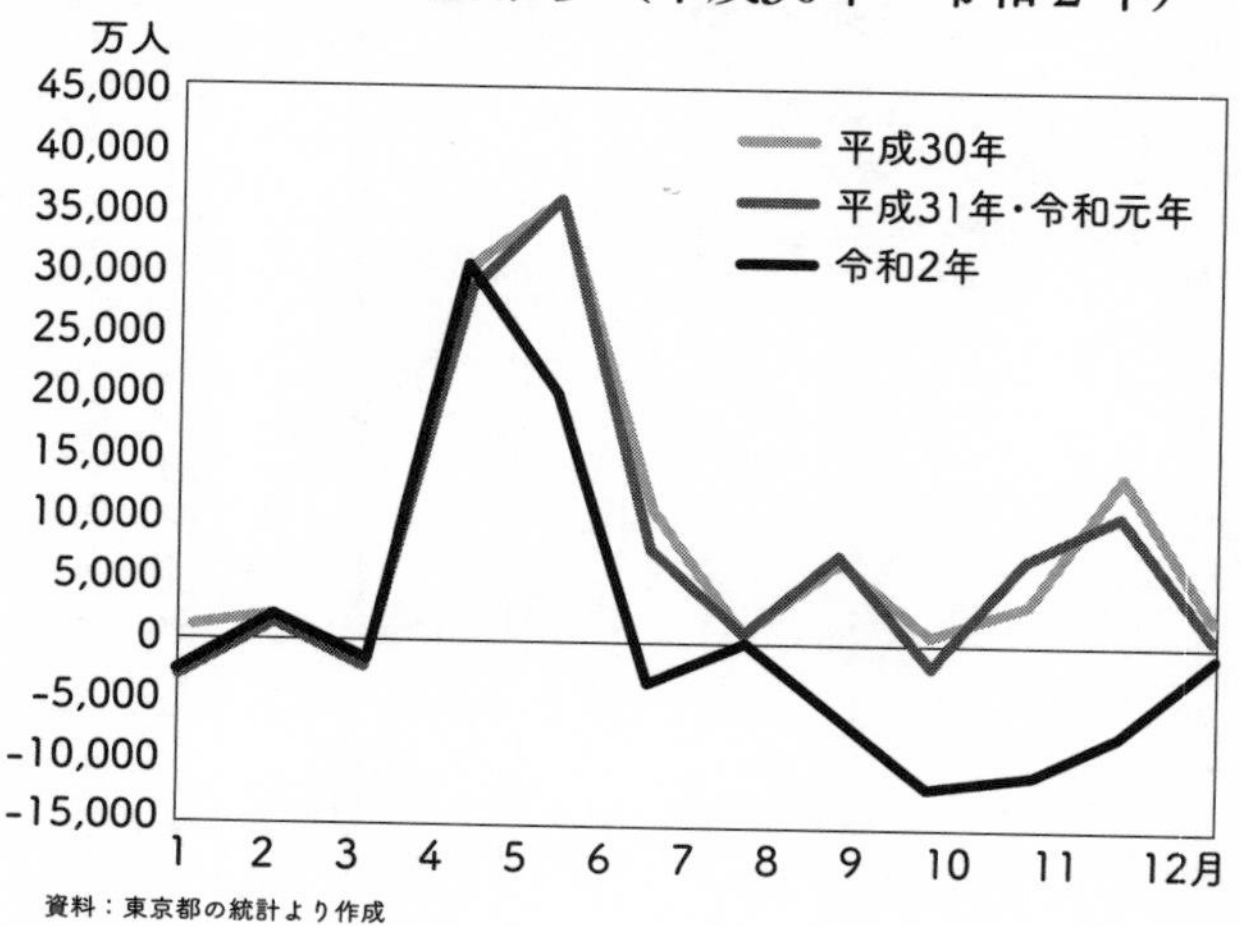

資料：東京都の統計より作成

不動産市況の推移

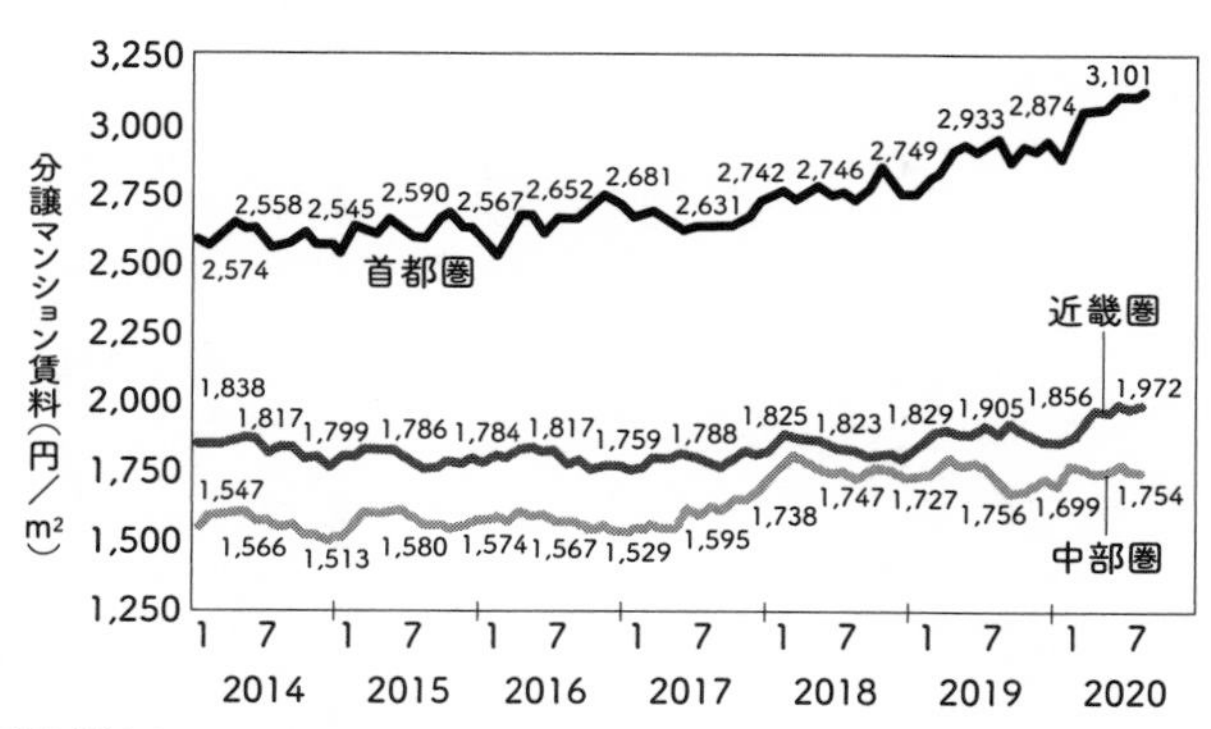

資料：（株）東京カンテイの資料をもとに作成

昇トレンドを続けました。それは相対的な東京一極集中は止まっていないと象徴するかのようです。

　コロナ禍において都市が駄目になり、一気に地方への人の流れが進むというようなことは起きませんでした。そもそも、何かが起きて、東京から大量の人口が地方に移転するなどという幻想にすがるようなことはやめるべきです。

　何もせずとも「棚ぼた」で東京から地方に人口が移動し、何もせずとも地方が再生するなんて都合のいいシナリオは成立しません。マクロでの話ではなく、個別の話として今回のコロナ禍を経て、一部の人が地方に移動するという選択をしている場合はもちろんあります。しかし、それらの人たちにも選ぶ権利があります。単に棚ぼたを期待しているだけの地域が選ばれるはずはありません。

つまり都市部でどんなことが起きようと、自分たちのまちを継続的な積み上げで、普段から外の人を受け入れ、自分たちの産業を盛り上げていっている地域にしかチャンスは訪れないのです。

3

地方創生は「人口減少」を出発点にした時点で終わっていた

コロナ禍における東京都人口の状況について整理しましたが、そもそも「人口さえ増加すれば地域が活性化する」という考え方自体が幻想です。

そもそも日本が半世紀以上前、戦争に負けた後に何が問題だったか。

それは膨大な人口に対して、破壊された社会資本、そして必要な経済力がないことでした。人口爆発が社会問題であり、いかに人口を抑制するか、が社会的テーマだったのです。

人口とは、急激に増加しても問題、急激に減少しても問題なのです。一番良いのは緩やかな増加なわけですが、日本における最後のチャンスは団塊ジュニアが出産期を迎える90年代後半から2000年代前半でした。しかし、日本はその最後のチャンスを棒に振ってしまいました。バブル崩壊後における就職氷河期、そして非正規雇用などの規制緩和が団塊ジュニア世代を直撃し、結婚出産のシナリオが成立しなくなったのです。就職氷河期と非正規雇用規制緩和は、日本の内需も縮小させることになり、長いデフレ経済の一因にもなってしまいました。企業業績や金融システム再生を優先した結果、日本のファンダメンタルを大きく傷つけることになったと言えるでしょう。

そのような中、２０１４年に始まったのが地方創生政策。東京一極集中が人口減少の原因であり、このままでは地方が消滅してしまう、という地方消滅論を基礎にしたものでした。

地方を維持するために若者の人生を使う発想

この政策での大きな成果は、これまで地方の「ち」の字も言わないような、財界含めた民間企業の多くが「これからは地方創生だ」と口にするようになったことでしょう。多くの民間企業が地方との連携事業を模索するようになり、ベンチャー企業も目を向けるようになりました。

しかし、地方が人口減少で衰退しており、それを解決すれば再生する考え方そのものは、大いなる「幻想」です。

そもそも人口減少は、東京から地方に若者が移動した程度で改善するようなスケール感をすでに超えています。人口が少ない日本のミレニアル世代以降による出産で、団塊の世代以上の膨大な人口の死亡数を超えるのは「無理な作戦」です。

さらに、地方の人口減少は衰退の原因ではなく、結果なのです。つまり、稼げる産業が少なくなり、国からの予算依存の経済となり、教育なども東京のヒエラルキーに組み込まれる状況を放置した結果、人口が流出したわけです。これは地方だけの責任ではなく、日本の制度による問題も大きいでしょう。

戦前になかった地域間是正を目的とした地方交付税交付金や公共事業費、様々な地方支援補助金が交付された結果、地方は自らの地域産業を強くすることよりも「いかに国から金をとるか」という競争に明け暮れるようになってしまいました。地域内の産業も行政予算に依存するものばかりになり、より多くの予算を獲得できる地元企業が経済的に成功するようになりました。稼ぐよりも貰うことが主力業務になった地方は、選挙制度によって首長を選べるようになったものの、経済財政の自立は失ってしまいました。

唯一、地方交付税交付金が交付されないどころか、原資の4割にあたる3・5兆円を負担する東京都が、受け取っている他のどの都道府県よりも産業規模が大きくなったのは皮肉な結果です。同時に、戦前は地方独自の競争力のある産業が集積する地域が発展していたものの、戦後は県庁、市町村に流れる金流が太くなり、そこにヒト・モノも集積するようになりました。戦後に県庁所在地よりも高い成長率を記録したのは浜松市などほんの一部に限られます。

地方創生とは、本来は稼ぐインセンティブを復活させ、地方が独自かつ多様な発展をしていくための権限と財源の一体的な委譲などを考えるものであったはずが、回復不可能な人口問題にすり替えられてしまったのです。さらに人口減少によって地方自治体が立ち行かなくなるという分析を「地方消滅」というタイトルにした提言主である日本創成会議は、今や活動休止のまま放置されています。人口が全体で減少する時代なのですから、地方自治体も適切に整理統合し、破綻なきように対応していくことが大切です。自治体の単位を人に合わせるのが当然であって、自治体の単位を維持するのに人々の生活拠点を強制的に移動させるなんてことは本末転倒です。

全体戦略として無理なことを決めてしまうと、個別の取り組みがいかに良かったとしても望むような成果は生まれません。プロジェクトの前提が幻想に基づいていると、もはやその先でどのような膨大な予算をかけても、多様な事業に取り組んでも、結果も成果も伴わないことになってしまう典型が地方創生政策でした。

当初掲げられた人口移動、人口分散の目標は達成できず、安倍政権としても２０１９年に目標を断念しています。実態としては２０１４年以降、東京圏への人口流入は減少するどころか、むしろ増加傾向となり、毎年10万人前後の転入超過を記録するようになり「東京一極集中の是正」は達成されませんでした。もし達成されたとしても、地方が活性化したとは思いません。新たな付加価値の高い産業が地方に生まれるわけでもなく、一時的に移住定住の補助金をもらい、地域おこし協力隊などの限られた収入を３年ほど担保されただけの人口が、各自治体で数人、数十人増加しただけで構造的に変わるでしょうか。

人口論に支配された地方活性化論は、どこまでいっても無理が生じます。人口さえ増えればすべてが解決する、という幻想を捨て、先をみた思考が必要です。

求められる、人口論に依存しない地域活性化策

そもそも、人口が少ないから国や地域がだめになるわけではありません。

戦前から人口減に悩まされてきたフランスでさえ日本の半分の人口ですが、貿易収支

で日本は負けたりするわけです。日本から工業製品を輸出しても、ファッション、化粧品、ワイン、チーズ、時計などの輸入で負けるのですから、ハイテクばかりが世界の勝ち組産業ではありません。

例えば、ルイ・ヴィトンなど多様なブランドを擁するＬＶＭＨ及びクリスチャンディオール会長を務めるベルナール・アルノーですが、彼は２０２1年1月現在世界第４位の資産家となっています。1位はテスラのイーロン・マスク、２位はアマゾンのジェフ・ベゾス、３位はビル・ゲイツ、それに次ぐ金持ちです。その次がフェイスブックのマーク・ザッカーバーグですから、米国ハイテク産業の富豪たちに、フランス・パリを本拠地とするファッションなどローテク分野におけるコングロマリットのトップが君臨しているのです。

国内に目を向けても、北海道江丹別でブルーチーズ生産を行う伊勢昇平さんという方が面白い取り組みを続けています。江丹別は今や80名程度の旭川市郊外の集落。そんなところで彼は、家族経営のグラスフェッドにこだわる酪農家の家に生まれました。北海道では牛乳として出荷すると1リッター80円程度で取引されるため、大規模酪農をしなければ事業的に成功することは難しいわけです。しかしグラスフェッドで育てているから、あまり量はとれない。それを逆手にとって、彼はこだわったブルーチーズを自ら製造、今ではエアラインのファーストクラスから一流レストランまで使われる大人気の商品になっています。

生産量はむやみに増やせないからこそ価値が上がり、今では1リッター換算で1000円を超え、お父さん家族、お兄さん家族、そして自分の家族と3世帯が生活できる高付加価値酪農を確立。さらにその独自のライフスタイルが多くの人の共感を呼び、江丹別にはレストランができたり、若者たちが集まってフォレストセラピーを計画したり面白い展開になっています。80人の集落が少しずつ人口増をしていますが、それはあくまで結果論。土地の力を使い、その地域でできる独自の産業と生活を作り上げたからこそ、人が集まるようになっているのです。そしてそれは80人や100人程度ではありますが、皆が幸せに生活しているのです。

フランスでもイタリアでも、欧州の地方都市にいくと、まわりは牧草地帯や、ワイン用葡萄の畑に囲まれた小さな集落に素晴らしいレストランがあります。夕方ともなれば地元の方が集まり、地下のセラーからワインを出して素晴らしいディナーを楽しんでいる姿をみると、単に工業化すれば経済的に地方が成功するというわけではないのがわかります。

そしてそれはフランスだからできることではなく、日本でも実現できる近い未来なのだと江丹別などを見ると感じます。そしてそれらの地方集落は都市と対立しているのではなく、都市による消費と、集落による生産とで相互にリンクし、扶助の関係にあります。先の江丹別も同様で旭川市という都市部が近隣にあり、そこと都市機能でリンクしながら、国内海外へ地域からブルーチーズを輸出できるからこそ、成立するのです。都市を叩いて人口を地方に移動させる、対立思想そのものも「幻想」に過ぎず、都市と地方集落は相互の役割をもって適切な協力関係が構築できるものなのです。

明治以降に樹立した人口爆発に合わせた社会制度、経済の中で、どうしてもすべての課題が「人口減少にあり」と思いたい気持ちもわかりますが、できもしない方法に固執するのではなく、新たな付加価値の生み出し方と向き合う時代にきているのではないでしょうか。経済的成長を諦めるのではなく、今までとは異なるアプローチでの経済成長シナリオが必要なのです。

4 インバウンド消失で観光業崩壊という虚像

国内旅行消費額26・1兆円のうち、インバウンドは4・5兆円

ここ数年、地方には観光立国政策に多額の国費が投じられ、さらに観光ビザ発給の規制緩和もあり、うなぎのぼりのインバウンド需要にご執心でした。「日本の地方成長にはインバウンド観光しかない」という幻想に沸いていたのです。

しかし実際に全国有数の、とある九州の観光地に赴くと、大量の外国人観光客が押し寄せる中、宿の経営者は、「人手不足で大量のお客さんを迎え入れることができない」と言うところが多くありました。聞けば、そこは２つの棟を抱える大型ホテルでしたが、人手不足のために本館しか開くことができないようでした。

そもそも安い単価で大量の観光客を受け入れることは、地方の実情において無理があったのです。大型のクルーズ船の港湾施設を整備しても滞在時間はわずか、しかもグループ旅行客がいくらドラッグストアで爆買いしてくれても数百億円かかる港湾施設の投資回収ができるようなものでもありません。

このようにインバウンド観光客の誘客はまさに数の論理、先の人口獲得競争と同様の話なのです。観光客は「交流人口」と言われますが、定住人口を東京から地方へ移動させる政策とともに、外国から日本の地方に交流人口を入れて増やすのが観光立国政策の基本でした。

現場に無理が生じていたり、政策的には投資とリターンが見合わない状況がある中、2020年のコロナショックによって国際観光は完全停止し、インバウンドという幻想頼みだった地方観光業は完全に干上がってしまったと言えます。

しかしながら、地方観光はインバウンドがないと事業として成り立たないのでしょうか。令和元年版の観光白書の数字を見れば、国内旅行消費額は日本人観光客によるものが82・7%で、訪日外国人旅行客によるものは17・3%にすぎません。金額にすれば、26兆1000億円の市場のうち、インバウンドは4兆5000億円しかありません。

さらに、コロナショックが沈静化した後も、自由に海外旅行に出られる状態になるには時間を要するでしょう。2017年度に実施された観光庁「旅行・観光産業の経済効果に関する調査研究」によると、海外旅行における海外消費分の市場規模は2兆800

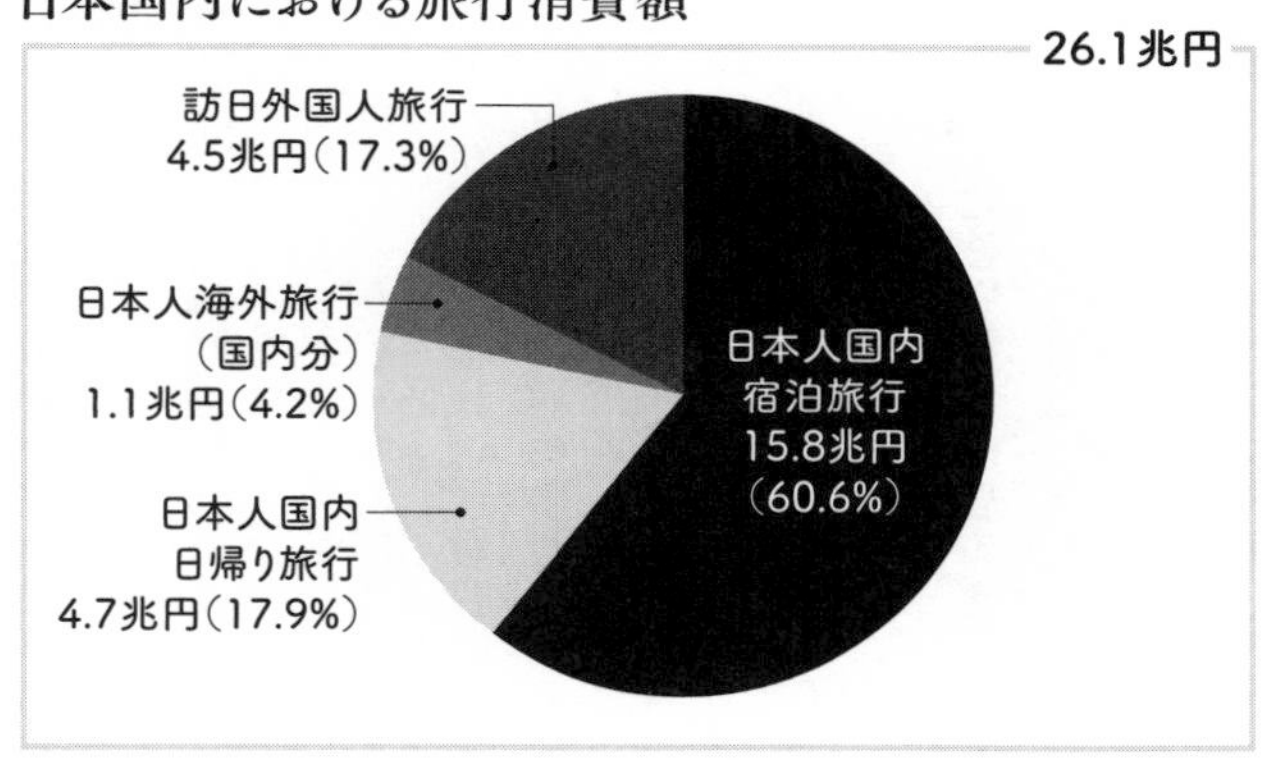

資料：観光庁「旅行・観光消費動向調査」及び「訪日外国人消費動向調査」より作成

０億円あります。

これらのお金は、国内消費に向かうわけです。政策の良し悪しの議論はさておき、ＧｏＴｏトラベルキャンペーンは国内観光の需要喚起を引き起こそうとしたもので、２０２０年の10月から12月にかけての爆発的な観光需要の伸びは国内観光の潜在的需要の大きさを物語っていました。

インバウンド一本足打法を考え直すとき

インバウンド市場の成長があったといっても、まだまだ国内に占める割合は一部に過ぎません。さらに言えば、ＬＣＣ

やクルーズ船など安価に旅行に来られる手段を用いる顧客をターゲットに、値引き作戦ばかりを展開して「安くたくさん」を徹底していては、人口減少社会の日本においては問題が起こるのは間違いありません。売り上げよりも利益率にこだわるべきなのです。

人の目は、どうしても新規で成長する市場に向きがちです。地方を訪れる訪日外国人は、今や少なくなった「団体旅行」も多い。商売をするには、アジア系訪日外国人旅行客は非常にやりやすい相手だったといえます。その一方で、市場の8割を占める日本人による内需をないがしろにしていたと言えます。

近隣の人たちが遊びに来る日帰り旅行に限定しても4兆7000億円の市場規模があり、インバウンド消費4兆5000億円より大きいのです。だからこそ地方は、今回のコロナショックで海の向こうから来る客だけでなく、地元客、国内客という巨大市場が近くにあることをいま一度考え直すときだと思います。

5 安くたくさんが地方を滅ぼす理由

観光だけでなく、地方プロジェクトは「安くして、たくさんの人に地元を知ってもらうのが善」という幻想に支配されています。観光企画、商品企画、まちおこしイベント企画、あらゆるものが無料、あるいはワンコインで、といったようなのけぞるほどの企画がありますが、それは良いことをやっているという非常に強い信念を持たれている方がいるから行われます。

しかし、そのような考え方そのものが地方を貧しくしてきたと言えるのです。

地方は農林水産業における生産力があるから食品生産も可能で、風光明媚だからこそ観光産業も成立します。では、地方がなぜ貧しくなるか、といえば、それらを「安く」供給しているからです。「安くいいものを提供するのが美徳」のような洗脳を受けていると言ってもいいでしょう。

これは商品やサービスの供給をうける都市部住民にとっては非常にありがたい話です。生活に困らない、豊かに生活できます。しかし供給元は安くたくさんの商品を生産するわけですから、豊かになりにくいわけです。戦後の食糧不足の時代ならよいですが、人口すら減少する今も続けるやり方ではないでしょう。さらに、地元客を相手にする地元サービス産業もその低い所得に沿ったものしかできない↓地元向け商売の人たちの所得も低くなる、という悪循環が起きるわけです。

プライシングの間違いには構造的欠陥がある

生産地でのプライシングを間違える理由には構造的欠陥があります。

生産者が生産物を購入したことがほとんどないことです。当たり前ですが、ウニ漁師がウニを買うことはほぼないですし、いちご農家がいちごを購入することもほぼありません。つまり「自分で作る」か「もらうか」くらいで市場を通じて購入したことはないので、都市部に向けて正しい値付けをするのはかなり難しいのです。

知人が岩手のウニの産地と連携したオンライン産直企画を行う際に、その値付けで地元の方々と大変揉めていました。知人は東京都内の寿司屋で出されている価格を想定して、1瓶1万円というプライシングを提案していました。塩水うにを牛乳瓶に入れて販売をするのは岩手では一般的です。ただ地元では板に並べたウニの端を瓶に入れているところを、一番いいウニを入れて販売しようという企画だったので、その値付けは決して高くはないものでした。牛乳瓶にたっぷり入ったウニの量を考えれば、もっと高値にしても十分にいけるでしょう。

しかし、漁師の方々から「それはボッタクリだ。売れるはずはない」という意見が噴出。「売れなかったらどうしてくれるんだ」ということになったのです。その時に知人は「それでは万が一の時には私のほうで全量買取りしますから」と言ってオンライン販売したところ、あっという間に完売しました。毎年恒例となったウニ販売の常連の中には、割安で良質なウニを聞きつけて、都内の寿司屋まで現れたほどです。

生産地はどうしても市場と向き合う機会に乏しい場合が多く、価格設定、商品性評価という点において不利な立場にあります。だからこそ産直をやるとしても、自分たちの尺度で過剰に安く設定してしまったりするわけです。振る舞い的な精神すらあったりするので、悪気はないのですが、それでは地域産業として継続できません。担い手もいなくなるくらいに安くたくさんを徹底しすぎてしまったので、適切な値上げに向けてギアチェンジできるかどうかが、地域の存続条件となってきています。

値段を高くすると地元重鎮から叩かれる

農林水産業だけではありません。高い値をつけると、地元の飲食店も叩かれるのです。以前プレジデントオンラインで取り上げた、日高の静内にある「あま屋」は地元の美食を提供する高級飲食店に業態を変えた時に、地元から叩かれたそうです。「春うにという解禁後のウニを食べる企画を始めた時も、「そんなことで客がくるなら苦労しない」と悪口を言われましたが、客が大量にくるようになった今では、どこの店にも春ウニの旗が立っています。

石垣島発の大人気ジュエリー・ブランドであるティーラ・アースの平良静男さんも、カッコいいフラグシップショップを石垣島の中心部につくったら「あんな気張った店なんて石垣では成立しない。3日で潰れる」と地元の先輩たちからよく言われたと語ります。

「安くたくさん」による衰退連鎖を止めるような付加価値の高いサービスを提供すると「ボッタクリだ」とか「3日で潰れる」とか悪口を展開する人たちがバンバン出てくるわけです。

どうしても地元重鎮たちは自分たちがやってきた「安くたくさん」が正解であると信

じたい。しかしそのことが、地域を衰退させているのです。

地方では、外に向けた商品サービスを良くして「値上げ」をすること。そして値上げをして、それに堪えられる内容に変更することが求められています。

付加価値の高い製品を少人口で作るから地域は長期にわたり繁栄する

フランスで一人あたり所得が高い都市といえばどこでしょうか。

実は、フランスでもトップクラスの所得の高い都市の一つが、人口2・3万人のエペルネーというまちなのです。え、そんな小さな人口の都市が？　と思われるかもしれませんが、エペルネーはシャンパーニュメゾンの本社が集積する小さなまちです。世界相手に6400億円を超えるシャンパーニュ市場でシェアを持つ一流メゾンが集積しています。少人口だからこそ一人あたり平均所得が高くなるのです。

シャンパーニュといっても葡萄からつくる農業加工品。つまりそのまちのほとんどは農地であり、日本人がイメージする工業型の儲かるまちではなく、非常に穏やかな農業中心のまちです。それでも世界を相手に稼げるシャンパーニュが存在するからこそ、500年以上もファミリー経営が続いているメゾンすらあるのです。

２０１８年に、現地のゴッセというシャンパーニュメゾンを訪問しました。聞けば、長い歴史の中で、周辺には工業化で成功した都市があったが、今となってはすっかり衰退していると言います。一方、工業が周辺で発達したからこそ、安定して大量にシャンパーニュを入れられる強度のガラス瓶を生産でき、それがシャンパーニュの輸出にもつながったそうです。農業と工業は決して対立ではなく、相互補完になりえるのです。同時に、本当にその土地からとれるもの、そしてスペックよりもその土地に根付く歴史、伝統が地域にとっては長期繁栄の鍵となることを教えてくれます。

コト経済とモノ経済のバランスが問われる

「さぁこれからはインバウンドだー」という掛け声にも似た「幻想」に囚われていると、国内市場の価値を見落とすだけでなく、何でもかんでも観光だとなり、コト経済ばかりに囚われてしまいます。

これもまたコロナ禍が明らかにしたことですが、モノ経済も国内消費においては極めて大きなボリュームを持っていて、それを無視するのは非常にアンバランスな地方経済モデルになってしまうことでもあります。海外と国内（全国＋地元）、そしてコト経済とモノ経済、この組み合わせを効果的にバランスさせることが地方においては大切です。

コロナ禍では自宅で過ごす時間が増えることで、インターネットを通して注文するオンライン需要が拡大しています。幸いなことに、都市部の人がインターネットの仕組みを使えば使うほどに、地方にもチャンスが訪れます。

東京都「東京都生計分析調査報告」（令和2年1月）によると、勤労者世帯の消費支出は1世帯あたり34万6351円と出ています。外出自粛によって、その一部がオンライン購買に回ったことで、非常に有望な市場になっています。地元にまで来てもらわなくてもモノ経済は全国で統合されるようになったのです。

実際にコロナ禍で、パスタの自宅需要が伸び、九州の素材だけで作られる九州パンケーキを展開する九州テーブルの「セブングレインパスタ」も急成長していました。これも、地元がインバウンドに沸いている中、冷静に九州内のよい素材を組み合わせて、ストーリーを描き、商品を作り、それをインターネットを通じて販売できる体制を作っていたからこそ、今回のチャンスをものにできたのです。

日本においては「一つの事業に集中するのが良いこと」という考え方がありましたが、これもまた「幻想」だと思います。転換期のタイミングにおいては、適切な多角化をしていた企業が、経営基盤を維持しています。九州テーブルなどを擁する一平グループは飲食店部門もあれば、食品製造販売部門もあり、さらに九州各地にオフィススペースを作りネットワークする九州アイランドワークという会社も持っています。これらの多角化が今回のコロナ禍でも経営基盤の安定化に寄与しているわけです。さらに都道府県や市町村の軸で商品ブランドはつくられるという役所しばりの六次産業化における「幻想」を破壊し、九州というリージョンでの様々な事業展開を行っていることもまた、強みになっています。幻想を疑い、常識にとらわれない、新たなコンセプトを作り出し、具現化することが大切なことです。

これまで地方の人が都市部の市場を狙うためには、基本的には都市部に出店する必要がありました。それが都市部の人の働き方が変わりオンライン化が進むことで、地方にいながら都市部の市場を攻める、従来型の商圏に縛られない多様な商売が可能になっていきます。自分なりの軸を作り出した取り組みは、困難をむしろチャンスに変えることすらあるのです。

第2章

えらい人が気づけない、大いなる勘違い

まちづくりとは非常に曖昧なもので、個人を排した、組織、コミュニティの単位で語られることが多くあります。そのため、個人の責任感がぼやけ、意思決定が遅くなったり、いい加減になってしまったりします。

第1章では、個人が囚われがちな幻想を解説しましたが、本章では官民双方の意思決定層にフォーカスして「幻想」を整理していきます。実は、えらい人が幻想に惑わされ、勘違いしたまま進められる事業によって地域の衰退が加速することが多くあります。

1

予算があれば地域が再生するは本当か

戦略での失敗を、個別努力で取り戻すことは不可能と言われます。しかし全体の戦略を組み立て、それを執行していくことは、トップだけでは不可能です。膨大な情報を集め、幻想を極力排除するためには、集まった情報を精査する必要があります。自らの頭で考えられるスタッフを集め、方向性を定めなくてはならないのです。

トップの仕事とは「人事」が9割を占めると言っても過言ではありません。「何をやるか」よりも「誰とやるか」「誰に任せるか」の方が圧倒的に重要です。

しかしながら、衰退地域のトップの多くは、「うちの地域で何をやったら活性化しますか？」「予算はいくらあればできるでしょうか」といったことばかりを聞いてきます。これは、「筋のよい事業に適切な予算を確保すれば成功する」という幻想に囚われているのです。

どんなに筋のいい事業で、適切な予算を確保できたとしても、どうしようもないチームでは絶対に失敗します。逆に、素晴らしいチームさえできれば、当初の思い通りにいかなくても、最終的な着地点を見つけられます。予算も同じです。最初から十分な予算なんてものを確保するのではなく、不足分を独自に稼ぐための知恵を出せばいいのです。内発的な力があるチームを作り出せるかどうかがすべての勝負の始まりです。だからこそトップの仕事は、事業のネタ探しでも、予算確保でもなく、よい人事なのです。

えらくなるほど勉強しなくなる国、ニッポン

ここで問題になってくるのが、えらい人の学習意欲です。近年、リカレント教育への注目が高まっていますが、日本では学校卒業後、再教育を受けてスキルアップしようと

する人材が年齢を重ねるほど少なくなります。

様々な調査をみてもリカレント教育への積極性は、20代こそ高いものの、50代、60代と意思決定の中心に立つ年齢層になるほど低下します。悪しき年功序列のせいで、組織で最適化すればあとは先が見えて、どうにかなると思ってしまうのかもしれません。しかし、そのような人材が意思決定層を固めると大変な不具合が起きます。

例えば、今の50代が就職した1990年と今では、我々が向き合う社会は全くと言っていいほど異なります。今の意思決定層が若かりし頃受けた薫陶は、さらにその30年上の世代、つまり高度経済成長に行われていたわけですから、全く役に立ちません。

だからこそ、組織の外で多様な接点を持ち、適切な学習時間を確保して、学び続ける必要があるのです。特に意思決定をする年代になれば、上司も限られるようになりますから、間違いすら指摘されなくなり、とんでもない決定を下してしまったりするのです。「えらくなったら勉強しなくていい」なんて幻想は捨てて、「えらいからこそ、誰よりも勉強しなくてはならない」のです。

では、学び直しとは何をすればよいでしょうか。優秀な意思決定年代の人たちは膨大な本を読んでいます。これは東京も地方も、海外であっても優秀な方の共通項です。本は最もコスパよく学べる非常に有用な媒体なのです。

台湾では、私の本が４冊翻訳されていますが、政府や自治体、企業経営者など幅広く読んでくれています。２０１９年から台湾政府は地方創生元年を掲げて、地方政策の強化に乗り出しましたが、私がシンポジウムに登壇させていただいた時、政府の地方創生を担当する女性の閣僚にも、「読みましたよ」と声を掛けられたのにはさすがに驚きました。

さらに２０１８年に深圳、２０１９年に上海で開催された都市フォーラムでは、中国本土では翻訳されていないはずの私の本が読まれているのです。

「台湾に旅行に行った時に購入してきたんですよ。字体は多少違うけど内容はわかりますから。日本の本は台湾での翻訳が早いので、まとめて買ってくるんです」と若者から聞いた時にはたまげました。歴史の本、他国の本など幅広い本を読み、見識を広げられている意思決定する人と若者たちはやはりすばらしい取り組みをしています。

必要のない予算活用は人を疲弊させる

一方、衰退の不安に対して、学ぶことをせず、事業を増やすことばかり考える意思決定層は、必要のない予算までどんどん申請させます。やたら事業数ばかり増やし、予算をたくさんとるので「得したような気分」になるのですが、成果も出ない予算事業が増えると、人を疲弊させます。

なぜなら、予算のための業務に限りある人材を使ってしまえば、肝心の事業に集中することすらできず、総倒れになるからです。無謀な戦線拡大は、全滅を意味するのです。

なぜ、そんな戦線拡大が起こるかというと、行政組織の多くでは「予算をとってきたやつがえらい」という幻想を抱えているからです。予算をとることが評価されてしまう。これが、全国各地でとんでもない無用の長物となる再開発施設を作り出し、地域からお金を失わせる元凶でもあります。

しかし、地方創生政策で必要のない予算獲得に各地が明け暮れていた中、適切な決断をしていた自治体もあります。

人口が約3万7000人で、この5年間ほぼ横ばいの福岡県宇美町は、地方創生に関連する交付金申請を断念していました。「市町村の広域連携が条件になるなど町の現状に沿ったメニューが少ない」と考え、手を挙げなかったのです。不必要な調整業務に職員を使ってしまうと、もっと重要な地域政策に手が回らなくなってしまうからです。担当職員は「交付金を使うことを前提とした施策は組まず、町独自の考え方を全庁的に積み上げたい」と説明したといいます（「『地方創生』では防げない人口流出　九州の自治体、独自性に課題」　西日本新聞　総合面２０１９／12／22）。

自治体の意思決定者は、予算獲得の前に自分たちの地域がどのようなシナリオで再生するか、その戦略をつくる時間と人材を優先しなくてはなりません。そのことで適切な予算活用と事業の選択が可能になるのです。

「学び、動く組織」が地域を変える

これまで見てきたように、地域における官民双方の「人事」と、意思決定層が「学ぶ」こと、そして事業を絞ることが大切なわけですが、これが実現できている地域が私のまわりで２つあります。

一つは、これまでも私の本の中で紹介してきた、オガールプロジェクトで有名な岩手県紫波町です。同町の藤原孝・前町長は住民向けの政策説明を行う上で、ワークショップの外注をストップし、そのかわりに職員にワークショップの研修を受けさせていました。その理由は、とても納得できるものです。

例えば、毎年300万円の予算でコンサルに外注すれば、限られた回数しかできませんし、職員に学びがないので毎年外注費を出し続けることになる。一方で、職員を研修に出せば高くても30万程度、PFIを学びに大学院に行かせても100万から200万の研修費で済みます。しかもそれ以降は自分たちでワークショップを仕掛けることが可能になる、というわけです。

しかも毎年繰り返してやることによって、職員は外部からも評価される人材になっていく。講演に呼ばれたり、周辺の自治体のワークショップへのアドバイスを求められたりするのです。すると仕事に対してのプライドも高まり、業務品質も上がる。「誇りが持てる仕事ができる環境を作らなくてはならない」という言葉も藤原さんのお話にはよく出てきます。

もう一つは、大阪府大東市です。7年ほど前に大阪のとある民間企業のセミナーに登壇した際に、同市の東坂市長と東局長というお二人に出会いました。

私がいつもの調子で「稼ぐことが地域を変える。自治体も自ら稼ぎ、社会に必要なサポートを行うべきだ」と言いたい放題に話をしたのですが、東局長が驚いた一方で民間出身の市長は「当然の話だ」と受け止められたそうです。

その後、市の事業についてアドバイスが欲しい、と相談に来られました。しかし私たちは単なるコンサル仕事はしませんし、それは意味がないと話をした上で、新たにスタートさせる公民連携プロフェッショナルスクール（現在の都市経営プロフェッショナルスクール）で自ら学ぶべきだとお伝えしたのです。そうは言ってもどうせ来ないだろうと思っていたのに、東さんは、本当にスクール一期生として入学してきました。自治体の部長級の方で、一年がかりの学校に入り直す人などほとんどいません。

さらに二年目には、建築部門の職員である入江さんがスクールに参加、オガールプロジェクトの民間事業棟の開発を経験したいと、子供を連れて（小学校を一時転校させて！）現地で業務に従事したのです。

彼女はそこで、公共に資する建築の方法に出合いました。従来型の硬直的な入札制度の限界を超えたやり方に感銘を受け、今や役場を退職し、自らリスクを負って民間から資金を集め、大東公民連携事業会社の社長を務めています。

2021年3月に第一弾の大型プロジェクトである、北条エリア再整備事業がグランドオープンします。民間資金を中心に新たな公営住宅、公園を一体的に作り変え、民間賃貸、商業テナント、オフィスまでが入ることになっています。えらい人が学び役所を動かし、やる気ある職員たちが働くことで公営住宅の建て替えは役所の仕事、という固定観念を破り、公民連携で新たな価値を作り出すプロジェクトが一つのカタチになるのです。

自治体の人材争奪戦、「公務員戦国時代」に

これからは人事と向き合い、変化を作り出す自治体と、そうではない自治体とでは差は大きくなるでしょう。例えば、四條畷市（大阪府）では、東修平市長が2017年の当選後、すぐに全国に女性副市長を公募しました。その結果、リクルート「スーモマガジン」の元編集長の林有理氏を採用。林さんはその後、大活躍されています。

同市ではさらに全7職種にわたる中途採用の募集に踏み切り、なんと1100人以上のエントリーを受け付けました。テレビ会議を用いた面接を行うなど、応募する側に立った採用手法は非常に好評です。しかも、同市は中途採用の本格化と同時に報酬制度や職種の権限も適宜見直しながら、優秀な人材を獲得する方針です。東市長は「これからは自治体の人材獲得が激化し、公務員戦国時代になる」と語っています。

こうした例でおわかりのとおり、従来とは異なる地方の価値を創り出すために、新たな雇用形態を採用したり、募集方法を抜本的に変えたりしたところには、これだけの応募があるわけです。「人手不足だから、どこもかしこも人が集まらない」ではないのです。

「人が来ない、若者が悪い」と文句を言っているだけで、過去のやり方を変えようとしないえらい人が行政・民間を仕切る地域からは人が去ります。意思決定層の方々は、人手不足を嘆くだけでは失格です。地方でも多くの人を集める職場に学ぶことが、まだまだあるのではないでしょうか。外注頼みではなく、自前で内製化してしっかり取り組む人材をどれだけ確保できるかが、地域の未来をわけます。

2 なんでも「成功事例」を求める病

予算があればどうにかなる、と考えるのは行政だけでなく地元民間企業の意思決定層にもある勘違いです。本来は顧客や金融機関や投資家など資金調達元との対話に時間を使うべきところを、役所にばかり出向いて予算をもらおうとする民間が多い地域は、経済活力が低下します。稼ぎを作り出すのは行政の仕事ではなく、民間の務め。それを放棄している民間側の意思決定者も多くいるのです。

それらの意思決定層の傾向は、すぐに「答え」を求めがち。その定番は「成功事例を真似れば成功する」という幻想です。

毎年どこかの地域の「成功事例」を視察し、それをパクるための予算を行政に確保させ、取り組んでみる。うまくいかないと、次のネタをまた探し、行政の予算を確保させ……という無限ループに陥っている地域は多くあります。

民間トップが自ら考えトライするのではなく、他人から与えられる「答え」を求める、行政は予算をとるのが仕事だと行動する、さらに国の政策では全国各地を救おうと成功

地方が同じことばかりする構造

"勝手に"どこかの地域で挑戦して成功する
▼
素晴らしい！と省庁が表彰
▼
全国の人が視察見学、講演会に実行者を呼ぶ
▼
どこぞの省庁が予算を要求
▼
支援制度ができ、成功事例を模倣
▼
支援制度は全国一律
▼
自治体が一斉に予算目当てで申請、
競争激化で総倒れ

事例の横展開、なんて話をしてしまう。
この三つの要素が、失敗を全国で大量生産しています。そもそも一つのことで何十、何百もの地域が救われる魔法はないのです。むしろ成功事例を真似ようとする地域が山程出てきて、それらを支援する制度を国も作るからこそ失敗してしまうのです。

横展開が失敗を大量生産する

そもそも、最初に一歩踏み出している地域の人たちは、どこかの成功事例を真似ているわけでも、国による支援制度があるからやっているわけでもないのです。

事業のネタとは、常に仮説検証のプロセ

スの中で見つけていくもので、やっている時には当事者でもわからないものなのです。

まとまった予算なんてつくはずもありません。「そんなことやっても意味はない」「そんなもん、前例あるのか」と言われて予算は出してもらえない。つまりは、自分たちで稼ぐ企画を考えないと進まないのです。資金調達はこれまたトライ・アンド・エラーで集めて、挑戦し、成果を挙げていくわけです。いつの日からかそれが「成功事例」としてもてはやされるようになるのです。そうすると国や自治体により成功事例を真似るための支援制度が作られたりするのですが、そもそも支援制度があること自体、成功を収めた地域のやり方と出発点からして違います。支援制度ありきでスタートする後発地域は、最初から道を踏み外しているのです。

これは「成功事例を横展開すればみんなで幸せになれる」幻想に固められています。みんなで幸せになるどころか、全員で不幸せになるという落とし穴に気づかぬことがいまだに多いのです。

どこもかしこも「ワーケーション」の既視感

全員で同じ事業をやると失敗するのはなぜでしょうか。

昨今のわかりやすい実例としては、「これからはワーケーションの時代だ」という幻想です。地方は、都会からのワーケーションを受け入れ、活性化しようという話が広がりました。

しかしながら、物事には需給が存在します。

共働きが就労世帯の半数以上を占める現代、子供も学校に通っているファミリーがどれだけワーケーションできるでしょうか。限られた自由がある人たちがワーケーションに出るとしても、どれだけの地域がその人たちの消費を支えられる数になるか、需給をまず考える必要があります。

同時に、地域側はワーケーションする人たちと具体的に繋がり、営業できるのか、というリアリティを探る必要があるのです。

今の時代、事業は「逆算」、「先回り営業」が基本です。

どんなにワーケーションする人がいたとしても、その人に営業できなければ成立しません。少し前のインバウンド観光全盛期の時の「富裕層観光」も同じでした。これからは富裕層観光だ、と各地で言い出した時に、「富裕層が大勢いるのはわかるのですが、この中に富裕層の方はいるのでしょうか」と質問をしたら、静まり返ったことがありました。

富裕層を招き入れようというのに、そのカテゴリの人がプロジェクトにいなければ、顧客志向もわからず、営業ルートすら持てません。どんなに世の中で「これからくる」と言われていても、当事者にアプローチできる人間が推進しなければ、そのプロジェクトに取り組むべきではないのです。


実際に、クロス・マーケティング社が２０２０年9月に実施した20〜69歳の４３４２人に対するオンラインリサーチでも、ワーケーションの認知は7割以上となっていましたが、それでも希望者は全体の２割、それほど高くはありませんでした。

テレワーク導入済みという回答が４割を占める調査ですので、比較的場所を問わず仕事がしやすい人たちでさえこの回答なのです。希望が低い理由としては、「仕事と休暇のメリハリがつけにくい」点を約37％の人が挙げており、組織導入については「生産性の低下」「情報漏えいへの心配」がそれぞれ約20％、挙げられていました。

このようにワーケーションはマジョリティとは言えません。全国各地、どこもかしこも「ワーケーション」なんてことになれば、需給は偏り、来てもらえても供給過多で価格競争になり、採算ベースで共倒れになってしまうでしょう。

成功事例の横展開が生んだ地方墓標たち

地方にいくと、半世紀以上にわたる成功事例の横展開によって生み出されたものの、今となってはお荷物となっている様々な施設、事業がたくさんあります。無責任な意思決定層は「うちの地域には馴染まなかった」とかいって失敗を地域性などの要因にすりかえるのですが、それは大いなる間違いです。先に述べたように、全国各地で一斉にパクった段階で需給は崩壊し、失敗が決定的になるという罠にかかっているからです。

かつての工業団地、リゾート開発はこの典型と言えます。

工業団地は、初期に太平洋ベルトから外れた立地で一部自治体が、用地に限界が出ていた工場群の誘致を行い、成功した事例がありました。それをもとに、「工場分散が地方活性化の切り札」になり、１９５０年代後半から工場三法などが成立、首都圏での工場規制、地方への工場移転に多額の国費が打ち込まれることになったのです。

まだ主要拠点が限られているうちはよかったのですが、これが次から次へと全国平等に行われるようになると、工場の地方移転需要を上回る工業団地が次々と造成されて余るように。そのうち工場は現地生産体制にシフトして海外移転してしまい、売り先がなくなった工業団地は今も多く余っています。

今も羽田空港からのモノレールに乗ると「電気代5年無料、固定資産税減免」という謳い文句の全国各地の工業団地の広告をご覧になったことがあるのではないでしょうか。

２０００年前後から増加した地方のアウトレットモールには、売れ残った工業団地の用地に作られているものもあります。２０１１年の東日本大震災以降は国の電力買い取り制度を目的にソーラー発電の拠点に転用されるものも多く出ました。

地方におけるリゾート開発も同様です。リゾート開発法が作られた時には一部のモデル都市だけで推進されるはずが、国会議員の先生たちが「なんでうちはやれないんだ」と言ってどこもかしこもリゾート開発を推進したら、全部駄目になってしまいました。もはや二度三度潰れて、民間に買収されて整備費など一切戻ってこないまま、なんてところは数多あります。国鉄の線路や駅開発も同じでした。

また全国各地に拠点指定を増加させ、リソースを分散させた結果として、国際競争力すら失ってしまうこともあります。実は先の工場の地方移転、工業団地整備はその典型的パターンです。その状況を、参議院第三特別調査室が「戦後日本の人口移動と経済成長」で分析しています。

本レポートによると、日本の戦後高度経済成長の終わりは、オイルショックだけでなく、地方から太平洋ベルトへの人口移動をもって、農業部門から高い生産性を持つ工業部門へ若い労働力が供給される構造が、地方への工場分散によって終焉したからという要因があるとされています。地方への強制的な工場分散、公共事業の展開が日本戦後経済成長を終わらせたという見方もできます。そこまでしたのに造成コストも回収できないほどに全国に用地供給してしまい、工場が結果的に国内地方から海外に出ていってしまったとは笑えないお話でもあります。

いつもこのように、ネタとカネを配って全国各地が一斉に真似をし、市場の崩壊を繰り返す。意思決定層は短絡的かつ適当なパクリをせず、自分たちの頭で考えるチームの養成に力をいれるべきなのです。国側も成功事例の横展開、水平展開の幻想から早く脱却することが必要です。

3 女性が流出する理由は出ていった女性にしかわからない

地方民間企業の意思決定層の大きな問題は、「若い時の苦労は買ってでもしろ」という幻想にいまだに囚われているところです。

若い頃に苦労して、歳をとったら報われる。そんなことが確実だった時代はよかったかもしれませんが、今の時代、若い頃に間違った苦労をしてしまうと、人生のキャリア形成において取り返しがつかなくなります。今の若者はバカではないのでキャリア形成についてよく考えています。

それを「若いんだから苦労するのが当たり前だ」なんて考え方の社長がやり方を変えない限り、そこに人は集まりません。地域活性化の分野でいえば、地域における仕事は「誰もやりたくない」からこそ人手不足が起きているという側面があります。むしろ会社側が働く人たちに適応していく必要があるのです。

ここに「女性」の要素が加わるとますます酷くなります。いまだ「嫁にきたらタダで使える」くらいに思っている人もいますし、女性が高等教育を受けるべきかどうかいまだに議論にする地方政治家に出くわすこともあります。国の委員会の場であっても、地方中小企業の代表者たちが「最近の若いやつらは我慢ができないからすぐに辞めていく」「そうだそうだ」と頭を抱えるような話を始めてしまう機会に何度も居合わせました。若者と女性が地元からいなくなってしまうのも当然です。

外から移住者を呼んでくる前に解決すべきは、地元から逃げていく人たちの意見を聞いて、えらい人たちが態度・思想を改めることです。それこそ、自分たちでどうにかなる問題のはずなのです。

なぜ女性は地方から東京へと移動するのか

実際、地方消滅で語られた、子供を生む世代の女性が地方からいなくなってしまう構造は、今も進んでいます。ニッセイ基礎研究所によると、２０１９年の人口動態（「人口動態データ解説ー東京一極集中の「本当の姿」」）の20〜24歳の年齢階層では女性を中心に転入が年々増加、転入超過数も女性（３０、６６７人）が男性（２５、２１６人）を大きく上回っています。20〜24歳の女性の転入が、東京都への転入超過数増加の重要なポイントとなっているといえます。

そのような中、内閣府は２０２０年に女性の社会参画に関する有識者会議を開き、５年に一度策定する「男女共同参画基本計画」の素案を示しました。ここで、地方から都市部に若い女性が流出していることについて「性差への偏見」を指摘、自治体や地域社会、企業が連携し、女性が働きやすい環境を整えるよう求めました。

素案では、地方の人口減少が進む要因として、若い女性の都市部への転入が多いとし、その背景を「企業経営者などの理解が足りず、やりがいが感じられない環境になっている」と分析したのです。女性や若者が地方に定着するために、地元企業への支援をする自治体の取り組みに国の交付金を活用すると提言しています。なぜ都市部に若い女性が流出しているかの原因は、「地域に性差への偏見が根強く存在している」というのです。いま、何を今さら、という感も否めませんが、ようやく地方における女性への偏見という見えざる問題を明らかにしたのです。

グローバル都市不動産研究所の調査で、東京に出てきた女性に上京の理由を聞いたものがあります。大きな理由の一つは「治安」です。さらに都市部の方が安価な賃貸住宅がたくさんあることも指摘されています。地方では女性が一人暮らしできるマンションの供給が乏しいため、結果として家賃が高くなってしまうのですね。

このように若い女性が地方を離れ、東京に向かう理由を見ていくと、「東京が魅力的」というより、「地方社会が女性に閉鎖的で、成長機会に乏しい」と認識しているわけです。さらに「地方は治安が悪くて、怖い」「自分たちが望む住まいもない」と判断している回答を見ると、男である私にも見えない「地方」の問題を感じて、出ていく女性が多いことに気づかされます。

女性が望む仕事を作ることこそ民間トップのミッション

それでは地域における実態はどのようになっているのでしょうか。もっと地元で若い人たちに働いてほしい、募集をうまくやりたいと思っている経営者がいたとしても、なぜ集まらないのかがわからないこともあります。

例えば、福岡市は九州広域から若い女性を集めています。その理由は、専門学校、大学の教育機関の集積とともに、極端に発達したサービス産業によるところが大きい。つまり業種、職種が非常に重要なテーマなのです。逆にそこがミスマッチで、「会社の方針に合わせるのが当たり前だ」という精神だとうまくいきません。地元に就きたい仕事がないから、都市部に移動してしまう。採用における従業員最適が進んでいる都市が働き手獲得においてプラスにつながっているのです。

この点を地域で改善し、成果を挙げているのが、宮崎県日南市マーケティング専門官の田鹿倫基（たじかともき）さんたちによる取り組みです。

彼らは、なぜ地元を離れ福岡や東京に働きに出てしまうのか、その原因を探るために、就職する若い女性と採用する企業との双方に調査を行ったところ、非常にシンプルな理由がわかったといいます。

簡単に言えば、企画や事務職で働きたい若い女性が多い一方で、地元企業では募集がなかったのです。採用側も女性の希望に合わせて、事業体制を変えるという発想がそもそもないため、長年にわたりミスマッチが繰り返されていました。

ただ、そのような結果を伝えても、一国一城の主たる地元企業のトップたちはなかなか動かない。そこで、田鹿さんたちは油津商店街の空き店舗にネットメディア系企業のサテライトオフィスを誘致、ライター職や事務職の採用を行ってもらいました。広くデザインされたオフィス、社員がそれぞれラップトップを支給され、フリーアドレスで働ける。私服かつフレックス勤務でテレワークも当然ＯＫ。目の前には保育園まであるワークスタイルは地元の若い女性たちには大きなインパクトとなったと言います。

就職希望の人たちが殺到し、翌年には地元高卒の女性が就職したい市内企業の２位にいきなりランクイン。その変化に地元企業の経営者たちも驚き、自分たちの会社改革に乗り出すところが続いたといいます。

ショック療法ですが、論より証拠。実体が地域に見えるようになると、地元企業も変化が加速します。このように企業誘致を、雇用の数を競うのではなく、地元企業の経営改革を促進する手段と位置付けると、その価値も変わります。

トップの変化が採用を大きく変え、地域を変える

日南市のケースでもわかるように、「地方には仕事がない」ことを理由に出ていってしまうという単純な話ではないのです。求人があってもその内容、条件が受け入れられなければ、出ていってしまうわけです。それは日本で現在、経済成長率が高い中部圏に

おいても言えることです。

愛知県豊橋市は西に名古屋、東に浜松があり、その中間点に位置しています。工業分野をはじめ様々な産業が集積する都市です。しかし、20〜24歳女性は毎年２００人程度が首都圏へ流出、15〜29歳まで広げると毎年４００人近くが流出し、完全に「男余り」になっています。

そんな中、同市に本店を構える種麹メーカー「糀屋三左衛門」は、創業が室町時代というルーツを持つ老舗企業でありながら、採用方針を大胆に変えて、大人気になっています。

もともとは営業事務として募集をかけていたところ、応募数が0だったので、業務内容を改めて精査。実際、業務内容は顧客との接点を持ち、さらに販促物の作成など広報的な業務にも関わり、ネットショップなどのマーケティング計画も行う仕事です。さらに日本の発酵分野は世界からも注目されており、日本でも有数の種麹メーカーである同社は、海外からの問い合わせもあり国際的な側面もあるわけです。実は世界一予約のとれないレストランで有名なコペンハーゲンのノーマから、直接発酵に関する問い合わせがくるほど、その分野では国際的に知られる存在なのです。

こうして新たな麹を使った食品小売事業の拡充を狙いとした、ブランドマネジメントサポート職とし、業務内容についても細かく記載したところ、即日8名の応募が入ったといいます。しかもそのうち2名は首都圏からの応募でした。

さらに2020年末には関連会社で新たなブランドマネジメント管理に関する募集をかけたところ、20〜30代の素晴らしいキャリアをもった女性が20名以上殺到する事態になっています。

このように業務内容を見つめ直し、内容も変更し、さらに職種名も変え、やりたいと思ってもらえる仕事内容にすり合わせていくことが経営者に求められているのです。

それが可能になれば、大企業誘致ではなく地元企業における採用実績も大きく上がります。さらに優秀な人材が集まれば、それは企業成長にも繋がるでしょう。単に「数」を集めただけの人ではなく、企業の新たな力になってくれ、その人のキャリアも豊かになる雇用人材が大切なのです。

4 日本人の若者が逃げた、ブラック労働を変えよう

先のように職種内容、労働環境を変化させることによってキャリアを重ねる女性にも働いてもらえることは地域にとって非常に大きな変化です。しかし、それでもなお、今までの仕事の内容を見直さず、ブラック労働が「当たり前」と信じ込んで続ける経営者もいます。

そのような経営者が活用して問題となっているのが、外国人技能実習制度です。

労働形態を変化させるシグナル

よく「地方には働き手がいない」という話になりますが、日本は明治以降の人口爆発時期には人余りが激しい事態でした。口減らしなんて言葉があったように、人が多すぎて食わすことがままならないこともあったわけです。そのため、とんでもないブラック労働であっても「働けるだけマシ」が通用したと言えます。

しかし時代は変わりました。

２０１０年の国勢調査では約８１００万人いた生産年齢人口が、２０３０年には１４００万人も減少、約６７００万人になると国立社会保障・人口問題研究所が予想しています。一方で同時期に減少する総人口は約１２００万人。つまり総人口の減少スピードよりも、生産年齢人口の減少スピードの方が速いのです。つまり働く人の方が不足しており、昔のような信じられない条件でも働く人を見つけることは不可能。これは民間経営者が事業を変え、雇用内容を見直すことと向き合わなくてはならないことを意味しています。

地方の「働き手不足」とは人口減少だけが原因ではなく、明確な問題があるのです。それは、地方における既存産業で求められる労働自体が「低賃金・長時間労働」で、血縁・血縁を基礎とした付き合いなどを理由に、「女性や子供たちは無賃金労働するのが当たり前」だからです。

人手不足なのに、経営者たちがプロセス改善や設備投資と向き合わず、昔からの非効率な業務のまま、過剰労働の担い手を探し続け、さらに地域を衰退させてしまう負のスパイラルが発生しています。

捨てよう、ありもしない矛盾した条件

ブラック労働を普通のことだと思っている経営陣は以下のような矛盾した話を語り出して「いいやつがいない」と繰り返します。

1. いい人材が欲しいけど、給料はあまり上げたくない
2. 終身雇用はしないけど、会社には忠実でいてほしい
3. 即戦力になってほしいけど、教育投資はやりたくない
4. 積極性が欲しいけど、自分には従順に従ってほしい

これは「いいやつ」の条件ではなく、「自分にとって都合の〝いいやつ〟」でしかありません。こんな矛盾した条件の人材などいつまでたってももはや出てきません。

まず1ですが、いい人材が欲しければ、権限と報酬を与えることは当たり前です。

次に2は、従来ならば終身雇用という安定性を担保していたからこそ、会社組織に忠実であることを要求できたのであって、雇用が不安定なのに忠実に働くことまで求めることは難しいわけです。

３は、即戦力になってほしいのであれば、より優れた技術や経験を積める研修投資をしなくてはならないのに、「それは個々人でやってね」と言って、おいしいところだけ組織で刈り取りたいと平気で考えます。

最後の４ですが、「これから必要なのは、イノベーションだ！　従来と違う画期的な発想を持って行動する積極的な人材が欲しい」と理想を並べておきながら、なんのことはない「自分に逆らうような人は駄目だ」という具合です。

これでは地域が良い方向に向かうことはありません。逆に、それぞれの要件に合う行動をとれば、人は集まるわけです。もしそれができないのであれば、もう意思決定の席から降りることが、その方にできる一番の地域貢献なのです。

「外国人研修制度」は変化の先送り

それでも執拗なまでに無理筋の条件で人を集めようとすると、その矛先は外国人労働者に向けられていきます。その一つが、近年大きな問題になっている「外国人技能実習制度」です。

２０１４年には東京入国管理局から外国人農業技能実習生の受け入れ停止処分を受け、

一部の協同組合が解散にまで及んだ長野県川上村の事例が世間をにぎわせました。年収1000万円以上の農業世帯が当たり前の「豊かな農業の村」として全国的に注目されている同村ですが、外国人実習生に過酷な長時間労働をさせていた組合事業の実態が明らかになったのです。その後、組合は解散しています。

同村では日本人の人口減少が続き、外国人を除いた高齢化率は30％に達し、衰退が続いています。5000人弱の同村の人口のうち850人程度、つまり住民の2割弱が外国人実習生となっています（2015年の同村資料による）。もはや外国人実習生がいなければ、村そのものが成立しないといっても過言ではないレベルです。

もちろん外国人実習生は同村だけでなく、全国で約16万人に上ります。その出身国は、これまで全体の多くを占めていた中国が減少に転じ、ベトナム、フィリピン、インドネシアへと出身国が変化しています。

しかも、2015年度には実習生のうち、行方不明者が3139人（2014年度、公益財団法人国際研修協力機構）に達しています。「割に合わない働き手」探しが、日本人から中国人にシフトし、さらに次なる国の若者たちへと矛先が向いているとすれば、頭を抱えます。途上国の人材育成も目的にしているとはいえ、当座が回っていればそれで良い。そのような地域に、明るい未来があるとは思えません。

ここで言いたいのは「地方のブラック農家」やその他当事者を告発することではありません。

先の日南市のように、行政が動き民間が連携するカタチでも、豊橋市のように先進的な民間企業が実例を作り出すのでもよいので、変化に向けた動きが大切です。貧乏くじを誰かに引かせる発想から脱却する必要があります。

過去の常識や伝統を変えていく新たな付加価値の高いビジネス、生産性の高い仕事の仕方こそが、新たな人材を健全なカタチで地方に集め、その地域の課題克服に向けて風穴を開ける一手になります。

常勤にこだわらない柔軟な勤労形態が地方のチャンスに

昔は「就職したら骨を埋める覚悟で」なんて話がありましたが、今や転職当たり前の時代になりました。一方で、まだまだ硬直的な雇用形態にこだわっているところも多くあります。

しかし、副業解禁が在京企業でも増加し、さらにテレワークも積極的に推進されています。実は、これは地方にとって大きなチャンスなのです。

私のまわりでも熱海市に所在する地元企業が複数社、一昨年から全国に先立って副業人材募集を行い大きな成果を挙げています。

地元でガス事業を行う熱海瓦斯では、自社ショールームとしてキッチンスペースの開放を行っていたものの、地元では利用されない問題を抱えていました。そこで東京のネット企業を副業で採用し、オンライン予約システムを組み立てたところ、地元の子育て世代のお母さんたちが簡単に予約できると活発に利用するようになりました。

また、ホテルや不動産運用に困っていた企業など様々な地元企業が副業人材を招き入れることで、新規集客や新規事業の立ち上げで成功しています。今は専用サイト「Circulation Life」が立ち上がり、定期的に副業人材募集が熱海市内の企業により行われています。熱海の立地は非常によく、基本はリモートでやりとりしながらも、新幹線に乗れば東京からあっという間に到着。温泉もあり、非日常を味わえる場所でもあるというちょうどいい距離感も生きています。

副業人材募集において私が驚いたのは、２つのことです。

一つは地元企業でもちゃんとした募集を行えば、素晴らしい人材がエントリーしてくれることです。これは、地元企業側が今までみたこともない履歴書の人が応募してくれると興奮して語ってくれました。全員採用して、ともにプロジェクトに取り組んでほしいくらいだと言うのです。

もう一つは、外部人材と既存社員とのマッチングの良さです。当初は、軋轢が生まれるのではないかと思っていたのですが、そんなことはなく、サポート機関のおかげもあり、むしろ社員たちが、これまで作れないプロダクトやサービスに関われることに興奮し、モチベーションが上がっているというのです。

ここで印象的なのは、地元企業の意思決定層が何より柔軟であることです。このような副業人材はまだまだ新たな分類であり、社内の位置づけにも悩むところでしょう。しかし積極的に変化を作り出し、今まではできなかったことに挑戦できると、楽しんで語る方々ばかりでした。変化する地域の意思決定層は官民の隔たりなく、前向きな人たちであることは間違いありません。

5

未来に絶望するネクラな意思決定層は、早くネアカな若者に席を譲ろう

地方の意思決定層の抱える問題の最後の一つは、地域の未来に対して非常に悲観的な人が多いことです。プレゼンテーションを聞いても、「うちはこういう理由で衰退していて……」と悪いところばかりを延々とお話しされるのです。

これらの多くの方は、「うちの地域は大変な状況にある」ことについて、自分たちの責任を求められない説明をしているだろうなと思うのです。議会なのか、地域の会議なのかで、「うちの地域は特段大変な状況にあるから、こういう結果になっているのも仕方ない。我々の日頃のやり方に問題はないが、地域が大変な状況なのだから悲惨な結果になるのも仕方ないのです。だから助けて下さい」と言いたいようなのです。

下手すると5分のプレゼンテーションのうちネガティブな話だけで、時間切れ。「もううちの地元は終わりです」というプレゼンテーションなのかしら、と思ってしまうわけです。

地元であれば、予定調和で理解されるのかもしれませんが、全く関係のない地元以外から「大変ですね、手伝いますよ」という人が出てくることは稀です。

私も10代の頃、会社設立後に最初の地域事業がうまくいかない時に「どうにかしないといけないんですが、難しくて……」なんて、同情してほしいスタンスで話をしても、誰も助けてはくれませんでした。むしろ「あの地域のプロジェクトうまくいっていないのか。関わるのやめとこ」という大人が大多数。勝ち馬には乗りたいけど、負け犬にはなりたくないのです。

ネガティブなプレゼンテーションはその地域に関わろうとする人を減らしていく効果はあるでしょうが、プラスになることはありません。皆で「大変だよな」と言って、互いの傷をなめあったところで何も変わらないのです。

まず地域のトップに必要なのは「夢」

それではトップには何を語れというのか、と言えば、夢です。

この地域で自分たちは何をしようとして、地域をどうしたいと思っているのか。それから話を始めるべきなのです。明るく未来に向けて語れる人が地域のバトンを握り、動くことが求められているのです。

これは簡単なようで、超絶難しいのです。普段から夢やビジョンを考えていないと、急には言えない。しかも今できていないことを表に公言するのはリスクだと思う人が多くて、言わない。言わないうちに考えることすらできなくなる人も多くなります。

結局、事業の可能性とは未知数なもので、ビジョンへの共感性が最初の力になります。ビジョンが、人を呼び、資金を集めていく原動力になり、最初は無謀に見えたプロジェクトがカタチになっていくのです。


だからこそ全国で地元がいかに恵まれないか、ネガティブプロパガンダを展開するような人たちは即刻やめていただきまして、ちゃんと夢を語れる若い人に委ねてほしいなと思います。なぜなら、10代、20代に、ビジョナリーな素晴らしい人がたくさんいるのですから。

『福岡市が地方最強の都市になった理由』（ＰＨＰ研究所）において、かつて負け組とされていた福岡市で奮闘した先人たちを紹介していますが、皆、苦しい時代にも常に前向きです。ネクラではなく、ネアカなのです。

前向きにこうしよう、ああしようとビジョンを作り、それに向けて仲間と資金を増やして成長させていく。結果として、数十年かけて地域にとっての大きな力になる。それこそ、未来作りなのです。もちろんネアカなベテランがいるならば、世代横断でできるから最高です。

前向きなトップが積極的に席を譲るまちは、未来に向かう

幻想に惑わされる地域が多い中、現役のトップ層自ら、次なるリーダーに席を譲り、さらに発展を遂げていく地域もあります。

例えば２０１１年に東日本大震災で大きな被害を受けた宮城県女川町。

私は被災前に同町の商工会青年部で、様々な企画に取り組んでいる阿部喜英さんからご連絡を受けて講演をしたこともあり、同町の被災には驚きました。被災後の混乱の中、同町は女川復興連絡協議会において、「還暦以上は復興事業に口出しをしない、未来を生きる世代に地域内の様々な上役を譲った上で、必要な資金も集めるし、批判されたら弾除けにもなる」という話をしました。そして、本当に商工会を含めて全員を若返りさせ、さらに同年秋の町長選挙では39歳の須田善明さんが当選しました。官民ともに若返

りした上で震災復興に臨んだのです。

被災後に訪れたプレハブの商工会事務所で、本当に全員が若返ったメンバーになっていたのには私も驚きました。復興計画当初は、コンサルも入り大きな計画になりましたが、官民ともに段階的に規模を現実的に縮小させました。さらに、我々が開催した復興まちづくりブートキャンプ・プログラムに参加され、二転三転しながらも、民間の人がトップに立った、責任あるまちづくり会社をつくり、計画・開発・運営を続けています。

先の震災前に青年部として活動し、復興でも尽力されていた阿部喜英さんは復幸まちづくり会社の代表社員になっています。被災地の中には、地元の高齢の意思決定層の方々が主導権の取り合いをして、とんでもない計画を推進してしまったところもある中、女川は人事に大きく手を入れたところからスタートしたのが秀逸でした。

危機を乗り切る時に意思決定層の人たちが、20年、30年先に生きていないやつが意思決定をするべきではないと次の世代に席を譲り、それを支える立場に回ったことは、まちづくりにおいて非常に重要であることを物語っています。

また、北海道旭川市の郊外に位置する当麻町は、初競りで1玉75万の値がつく高付加価値のすいか「でんすけすいか」の産地として有名で、民間農業経営者たちの力が非常に強いところです。

同町役場では、地域振興を担当する若手職員、40歳の村椿哲朗さんを、当時の現職町長が退任する際に後任指名、さらに周囲の方々も彼を支え、見事町長選挙で当選させています。というのも、彼は役場においてふるさと納税での企画を強力に推進し、全国的にも有名になるほどの実績を残していたからです。

話を聞けば、歴代町長のほとんどは民間出身であり、役場出身者が町長になるのは2人目だそうです。実績のある職員を評価し、トップに引き上げ、より活発な町にしていこうとする意思決定層の方々の大胆さに驚きます。結果として、同町には、世界一のダウンジャケットを数量限定で生産販売する店舗など、新たな動きが続々と起きています。

このように、バトンを次世代に積極的に渡し、次なる世代を支え、未来に向けて動いていこうとする地域は、世代横断で変化を作り出しています。一方で「うちにはいいやつがいない」と言いながら、いつまでも長老たちが取り組んでいる地域は、どんどん若者はいなくなり、沈んでいきます。えらい人がここに気づけるかどうか。小手先の事業や予算よりも「大切なこと」である、「誰がやるか＝人」と向き合う必要があります。それさえ押さえれば、地域にどんな困難が訪れても打開することが可能になるのです。

第3章

「地域の人間関係」という泥沼

地域において根深い問題の一つが、地域を構成する集団がもつ「幻想」です。人間関係によって作られる様々な揉め事、圧力が、挑戦者にとっての大きな足かせになっています。

ただ「同調圧力」は集団として作られるため、無自覚のうちに加担するだけでなく、見てみぬふりをする、つまりは消極的ではあれ加害者の一員になってしまうことがあります。だからこそ常に自分が圧力に加担していないか注意をしつつ、自分が動く時には集団圧力に屈しないように対策を打たなくてはなりません。

「みんな」という人はいない

意思決定層の問題であれば、上層部の数が少ないために、問題を生み出す主体がわかりやすいのですが、集団圧力は複数人がかかわることで見えにくい亡霊みたいなものです。しかしそもそも「みんな」なんて人は存在せず、「みんな」は結局、個人の集積によって形成されるので、最後は自分がどう向き合い、考え、行動するか、につきます。集団圧力に屈して挑戦をやめたり、何も言わずにだんまりを決め込むことも消極的承認として圧力を助長することになるので、それでは地域はいつまでたってもよくなりません。

組織の責任、といって投げてしまうのは簡単ですが、それでは何も改善しません。どう組織を動かすか。自分の頭で考え、動くことによって、一人の職員が行政組織に風穴を開けることもありますし、一人の住民の挑戦が地域を変えることもあるのです。

大人数でも、個人でもない、強烈な少数チームを徹底する

このようなことから、私は集団圧力による幻想問題には、「強烈な少人数チーム」を作れるかどうかが鍵だと思っています。大人数になると馬鹿になる、だけど一人だけでは潰される。だから「強烈な少人数チーム」を組織し、圧力をかわしながら、時に相手の力も借りながらプロジェクトを前に進めていくことが大切なのです。

では、どのくらいの人数が適正かと言うと、3〜5人だと私は思っています。

第一段階は、人材の「発掘」です。まずは組める仲間を見つけられるかどうか。挑戦する前にまずは一人でもいいから仲間を見つけましょう。そのためには、自分が覚悟をきめ、行動を始めることです。

その際、チームに欲しいのは以下のような人です。

・事業に対して営業力がある人
・地域での信頼を集めている人
・細かなワークでチームを支えられる人
・事業に必要な専門性を持っている人

それぞれの持ち味、得意分野はあるわけですが、少なくともチームとしてワークをすること、そしてリスクを共有できる、つまり自分たちでカネ出してやろうという人であることは共通していなくてはなりません。また、相談ベースで「一緒にやりませんか」とか言っていても本気の人は出てきません。まず自らがやることを決め、動き出してから仲間となる人は出てきます。

一番やってはいけないのは、単に「力ありそうだから」と目的も共有しないままえらい人や有名な人にチームに入ってもらうといったことです。団体や役職で選んでチームに入れてしまうと、結局、その組織の代表者として機能するだけで、地域事業のチームメンバーとしての貢献を優先しないので、事業が駄目になります。

論より証拠、実践の上で課題と向き合う

メンバーが出揃うと、ようやく地域での事業が動き出します。小さな事業でもはじめの一歩が大切です。ここで安易に補助金事業に手を出してはいけません。その後も補助金事業を回し続けることが多く、足を洗うのに時間がかかるので、初期の段階でメンバーが補助金目的ではないと確認しておきましょう。

自分たちのチームでの勝ち戦をしなくてはならないので、得意な事業分野を基本に売り上げを立てます。まずは、自分たちの職能に合わせて得意なことをするのです。プログラミングが得意ならスクールを立ち上げるのでもいいでしょう。不動産や建築が得意ならば、空き家や空き店舗を借り上げて事業をスタートさせるのもあり得ます。職能があれば外注の必要もなくなります。

ここで安易に他の地域の事例に惑わされないこと。どこかの地域で成功している事例を誘致するのはいけません。課題と向き合うことを放棄して、強力な外国人選手を呼んでくるようなものです。重要なのは自分たちで考えること。もし欠けている能力や経験があるならば、それをもつ人をチームに入れましょう。

何からやっていいかわからないのであれば、そこで大いに議論すべきなのです。自分たちなりのできることを見つけるまで、悩むことが最初の挑戦でもあります。

チームとして、問題と向き合い、小さく解決していけば、事業を成長させていくことができるでしょう。実践を通して、思考は整理されていき、何をやっていいか、少しずつ見えてきます。

チームとして批判を受けたり、事業の危機が訪れたりして、無力感に陥ることもありますが、それを乗り越えながら強くなっていくものです。批判も危機もないのは、何もやっていないのと同じなのですから。

外部人材にはリスクを共有できる人を

ではチームに外部人材はいらないのかと言われれば、そんなことはありません。適切な能力を持ち、事業に必要な人材として、巻き込むことは大いにあります。ただそれは、地元の皆で悩みに悩んだ挙句、少数チームで一回しした後です。どんなプロでも答えは持っていません。すごい人たちに聞けば「答え」を教えてくれるという幻想は捨てましょう。自分たちで考え抜き、その上で共にプロと議論し、実践してこそ見えてくるものなのです。

地域事業の要は安易に思考を放棄せずに、自分たちでリスクをとって実践するチームなのです。税金で予算をつけた無料の研修では担い手なんて育ちません。そもそもそんなところで良いパートナーを「発掘」できるはずもないのです。

本章では、まずは集団が形成する「幻想」について整理し、その集団圧力の構図について説明します。そのうえで、強烈なチームをもとにした対抗策について、解説していきます。

1

「成功者」を収奪者だと思い込む人

成功者は地域で妬まれてしまう問題があります。それは彼らに何から何まで奪われている、という幻想を地元の人たちが持つからです。

私もこの分野で20年来仕事をしていますが、成果を残すまちづくり会社の社長、事業会社の社長を多く見てきました。彼らは地元で尊敬されることももちろんありますが、一方で想像以上に多くの人たちから妬まれます。人よりもリスクを負い、挑戦したにもかかわらず、です。

それが故にあることないことメディアに報じられることもありますし、インターネットにデマが書き込まれることすらあります。人となりが全て筒抜けとなり、昨晩どこにいた、何を食べた、どんなワインを注文した、までが人的ネットワークで共有されて、「あいつは調子に乗っている」なんて言われることも少なくありません。失敗でもした日には、「俺は最初から駄目だと思っていた」と言われたりするわけです。

地元で成功した人たちは、羽根を伸ばして食事することすらできなくなってしまい、

東京に出てきた時には、

「本当に気楽だよ。地元で食事すればあいつは金持ちだからぼったくれると思われているから、不明瞭会計が出てくる。割高なワインなんか飲んだら、あいつにこんな金払えるなんておかしい、絶対に脱税している、なんて言われちゃうからね」

と話したりするわけです。

せっかく地元で成功者が誕生したのに、地元で思う存分消費ができなくなり、東京や海外でお金を使ってしまいます。地域にとって何もいいことはありません。地元の稼ぐ人が地元でお金を使い、稼ぐ人の経営する会社が人を雇用するから内需は育つのであって、その芽すら奪ってしまったら、地域内での消費は誰がするのでしょうか。

地域内で潰しあいをして喜ぶのは、結局のところ、その地域の外の人たちです。敵は外にあり、なのです。潰しあいをする限りは、新たな挑戦者はその地域で挑戦せずに別の地域にいって成功を収めることになります。

地元にまともな事業者がいなくなれば、地元生活者すら外から商品やサービスを購入することになるだけ。農林水産業でも、商業でも、地元に強い成功者がいることは、悪いことなんてないのです。にもかかわらず、そういう人に圧力をかけてしまう。本当にもったいないことです。

このような地域の集団圧力の背景にあるのは、「悪くなるのも、よくなるのも全員一緒でなくてはならない」という、悪しき「横並び」幻想でもあります。足並みを乱すものは許さないという集団圧力こそが、成功者を潰し、次に続く挑戦者すら排除して、地域を衰退に至らしめることになるのです。

地域が衰退しているから何をやっても失敗する、という言い訳を潰してしまう不都合な「成功者」

地元で成果を挙げる人を決して地元の勉強会などに呼ばないというのも、地域活性化分野ではよくあることです。

とある地方都市で文化・歴史のある老舗企業の製品のリブランディングで成功している社長さんと話していると、「私は地方で成功したから、地元の勉強会には絶対に呼ばれない」と言われます。

日本中から講演に呼ばれている上に、地元の市場を知り尽くしている実業家を、なぜか地元は呼ばないのです。なぜなら、地元の困っている事業者たちが共有する、ある幻想があるからです。

それは、「人口減少だ」とか「経済が低迷している」とか環境要因のせいにして、「だから何をやっても失敗する」という幻想です。

何につけても失敗する理由は環境であり、自分たちの責任ではない、と信じ込んでいるわけです。そう言っておけば、民間の人たちは行政から補助金がもらえる、行政はカネ配るだけで仕事した気になる、という行政組織、民間組織双方における集団的なもたれ合い構造があるからです。


しかし、そのような地域でも成果を出してしまう人が必ずいるものです。そういう人が、儲かる事業を形にしてしまう。そうなると、地域が駄目だから事業が駄目なのではなくて、やっている人間の問題ということが明らかになります。これはその人たちにとっては不都合なことです。

なぜなら、地域のせいで苦労しているという理屈でやってきていたのに、「ちゃんとやればできる」ということが明らかになった瞬間に、「地域が衰退しているから誰がやっても失敗する」という前提は幻想だったとわかってしまうからです。

特に補助金に依存するような業界団体、毎年の予算で活動する地域団体などは過剰なまでに成果を挙げる人たちに敏感に反応します。支援の根拠が失われることとともに、自分たちの予算がそれらの人に奪われてしまうのではないか、さらに言えば自分たちの団体から出している地域における様々な委員会などのポストすら失ってしまうのではないか、という恐怖を持って攻撃します。

そもそもポストの奪い合いをしたところで地域がよくなるわけでもなく、結果としてその人たちの立場もどんどんなくなっていくのですが、どうしても近視眼的な動きになってしまうわけです。

あくまで民業による投資、挑戦に徹するのが重要

このような集団的な妬みによる状況を打破するためには、本当は意思決定者が地元の成功者を巻き込んだプロジェクトを立ち上げることが必要なのですが、なかなか難しいものです。

このような集団圧力が発生する中では、まず着実に投資して、事業を積み上げていく

ということに徹するのが大切です。余計な調整はしない。

市中から資金を調達し、投資し、事業を通じて稼いでいくという取り組みを変えなければ、自分たちの考えるスケジュールと、考える内容に沿ってプロジェクトを進めていけるからです。それが遠回りのようで、確実にチャンスの時にも自分なりのやり方を通せる方法なのです。

成果を積み上げているうちに、起こる変化が2つあります。

一つは、チームの外側に認めてくれる人が増加していくこと。もう一つは、自治体など地元のトップたちがどこかのタイミングで声をかけてくるときがきます。

しかしこの時に重要なのは、地域全体を巻き込み、行政の予算を使って仕事をしようとしないことです。これでは結局、そのポジションと予算を他に奪われては困るという人たちと対立し、余計なコストを支払うことになります。

事業の蓄積の上にできた公民連携事業は強い

大阪に、飲食店の経営を通じてまちの変化を作り出す実績を積み上げてきた2004

年創業のＲＥＴＯＷＮという会社があります。

社長の松本篤さんは今や人気スポットとなっている天満などの可能性をいち早く見出して、カフェ、居酒屋など多業態を展開、仲間も次々と出店して人気のエリアへと変えるなど事業を通じたエリア変革を作り出してきている一人です。人材育成にも積極的で寿司職人を養成する「飲食人大学」などを展開するなどユニークな立ち位置で事業を伸ばしてきています。

そんなＲＥＴＯＷＮの松本篤さんたちが、大阪市大正区の最北端にある尻無川の水辺空間に、複合施設「TUGBOAT TAISHO（タグボート大正）」をオープンさせました。

大正区が所有管理する河川を20年占用で借りた上で、民間資金調達で同社が開発、運営する「稼ぐ公民連携」の取り組みです。第一弾部分だけが完成し、２０２０年にオープン。大人気のスポットになっています。

松本さんたちが自ら飲食店を通じて作り上げたネットワークと、経営へのリアルな知見が生きた施設です。コンサルに投げて、計画を組み立て、開発をしてもチェーンストアを連れてきて終わりになってしまうところですが、ここは違います。

面白い飲食店は個人事業主で経営している人がたくさんいるわけです。彼らが出店可能な家賃、条件は何か、を考え、分離発注で予算を抑えながらも魅力的なデザインになっています。しかも分離発注しているのは可能な限り地元企業。結果、大正区の小さなお店も出店するなどして、本当に楽しいお店ばかりが立ち並んでいます。これからホテルやギャラリー、マリーナなどが段階開発を進めていく予定になっており、心から楽しみなスポットです。

大正区側も素晴らしい決断をしたのは、当時区長を務めていた筋原さんなどトップが強力にこの河川活用を推進。活用の社会実験などを行っていました。

当時はＲＥＴＯＷＮとは別の会社が活用実験を行っていましたが、最終的には大阪の地元で飲食事業を通じて成功をし、まちづくりの視点も持つ同社に白羽の矢が立つことになったのです。行政側の職員は我々の取り組む都市経営プロフェッショナルスクールにも参加し、民間投資を引き出しどうエリア価値を上げるかということを学び、実践に入っていました。行政側にもふさわしい人材が出てきたことにより、官民の適切な連携が図られたわけです。

それでも松本さんたちが徹底して民間主導の姿勢を崩さず、資金も市中銀行から調達したことが、本件が公共用地の上におけるプロジェクトであっても、他にはない尖った内容になり、余計な集団圧力で潰されることにもならなかった理由です。

とはいえ、この場所の固有性にもしっかりと配慮し、地元に根付くお店が入れるように分離発注で建築費を抑えるなど工夫にあふれています。迎合するのではなく、地元と建設的な関係を築き、事業として合理的なラインを作る。これが地域活性化では極めて重要なところなのです。

松本さんのような、自らの事業を通じてまちを変えようと経営を続けられている方たちこそ、地元でより様々なシーンでの活躍が必要です。ただしその時には従来の民間と行政の関係ではなく、民間が投資、事業を開発する立場を貫くこと、そして行政もよからぬ組織心理で動かぬ、新たな公民連携のカタチが必須です。

2 みんなで力を合わせ、頑張れば成功するのワナ

地域での取り組みで、集団になると全員が「いい子」になって、みんなでどうにかして仲良くやろうとする問題がしばしば発生します。

絶対に失敗すると思ってんだろ、というような事業でも「皆さんがいいと言うのであれば賛成します」みたいなポジションをとり、和を乱さないことを優先します。もちろん喧嘩する必要はありませんが、表面的な合意を優先していてプロジェクトが成功するはずはありません。

マズいかどうかすら議論できない

広島県世羅町において、第三セクター「セラアグリパーク」が累積赤字に悩んでいる状況について議論する中で、地元議員の一人が「まずいから売れないのではないか」という趣旨の発言をしたところ、地元関係団体が「不用意な発言だ」「生産者のやる気をなくす」といった声明を出し、町議会ではその町議への辞職勧告決議が可決される事態

にまで紛糾したという話がありました。

食べ物や飲み物には好き嫌いがありますから、ある人にとっては「まずい」と感じるものでも、他の人にとっては「おいしい」ものもあります。私も実際にワインを飲んだところ、決して「とんでもなくまずくて飲めない」というものではありませんでした。正直、私も全国でご当地ワインの試飲をさせられる機会は多いので、飲めたものではないワインというものも多数経験してきています。その中で言えばむしろ世羅のワインは突出して悪いものでもありません。

しかし、問題はそこではないのです。

第三セクターの売り上げが思ったように上がらず赤字が続き、在庫も積み上がっているような状況が現実として発生しているわけです。であれば、当然ながらその主力商品そのものに問題がある可能性を検討するのは妥当です。

しかし、そのような発言一つに対して「生産者のやる気をなくす」などという反論をし、さらに議員辞職を求めるまでに議会が揉めに揉めてしまうあたりに、これもまた地方の大きな問題があります。

「地域の人たちが努力してやっていることは尊いものであり、誰も批判してはならない」というのは、心情的には理解できますが、事業である以上結果が伴わないものは根本的な問題と向き合わなくてはならないのです。皆が仲良く努力したからといって結果が伴うわけではないのは事実です。

重要なのは、仲良くすることではなく、真剣にそのプロジェクトの状況を打開するために、検討し、議論し、次のアクションを決めていくことです。そのようなことすらも「失礼だ」とか「バカにしている」というよく分からぬ面子の話に置き換わってしまうようでは話になりません。


皆で力を合わせ、頑張ればどうにかなる、という幻想を維持するために、何か問題点を提起する者を悪いやつと決めつけて集団で攻撃しているうちに、他の地域はより魅力的な商品サービスを作り出し成長していきます。常に敵は外にあり、なのです。

実際に、同じ広島県には広島三次ワイナリーという、しっかり黒字決算を続け、剰余金も積み上がっているワイナリーが存在しています。つまり広島県はそもそもワイン生産が無理というわけでもなく、ワインツーリズムのような観光拠点施設経営においても広島市という政令市と、福山市という中核市があるので都市圏としても膨大な消費人口を抱えており、ポジションは決して悪くありません。

商品・サービスは日々顧客によって消費されるので、売れないということは問題があるからなのです。顧客の多くは駄目な商品サービスを手にした時には、その問題点を指摘なんかしてくれず、「二度と買わない」だけです。そういうシビアな中で、地域内での問題点の指摘すら聞く耳持たないようでは、改善はありません。

「飲めない、飲む酢」が提起するもの

もう10年以上前、商店街がらみのプロジェクトでも、類似した「みんなで力を合わせる」ことが自己目的化し、成果が二の次になるプロジェクトがありました。

それは、とある自治体が主体となり、地元の農業関係者を集め、コンサルタントを呼んで新商品開発に取り組むというものでした。私は付き合いのある商店街に「新商品をモニターとして意見してくれて、ゆくゆくは販売してくれるお店を紹介してほしい」と言われ、まぁそのくらいなら、とご紹介をしたのが運の尽きでした。

具体的には当時、「飲む酢」がブームになっていたので、飲む酢をご当地のフルーツを使って作り、販売しようというものでした。

我々の仲間の商店街の中には、こだわった商品を取り扱うセレクトショップ型の店もあるので、そのお店の方々に協力してもらい、試験販売をしたわけです。お客さんも当然こだわる方ばかり。「飲む酢」なんてものは世界中から取り寄せて飲んだ経験があるハイソな奥様もいらっしゃるので、膨大なフィードバックが出てきました。

が、試作品ができて、それらのフィードバックを生産地に伝えると、問題点が明確になりました。それは、全く改善しないんですね。

飲用の酢とは工夫をして、風味を良くしているものが多く、かなりバランスが問われます。しかしその時の試作品は作ったままの酢を、酸度調整もせずに出していたので、簡単に言えば「酸っぱすぎる」わけです。アンケートにはわざわざ酸度まで測った人がいて、「これでは胃に穴が空きます」という冗談を書き記すほどに、酸っぱすぎて飲めたものではないというものでした。しかし、商品内容を変更せず、頑なに「これでいいのだ」的な話になってしまいました。

あまりにおかしいので、試飲会のときに、「希釈しないと酸っぱくて飲めないのでは？」という話で揉めて、「あなたたちは、飲んだことあるのですか？」と聞いたら、「ない」という回答だったのです。びっくりして意識が遠のきました。

結局、自治体の地域振興のグループが予算事業で地元農業団体の高齢者を集め、外部のコンサルを入れて回しているから、地元の人たちに強く言えないというわけです。わざわざ集められて付き合っているのに、「酸っぱすぎる、改善しろ」と迫ったらやってくれなくなるかもしれなかったのでしょう。

地元農業団体の人たちにとっては、補助金をもらって東京へ安く遊びにいけるという程度の取り組みで、売れる商品を真剣に作ろうなんて気もない。モニターからの意見に沿って、製造変化させようなんて考えるはずもありません。「まずい」なんてことは口が裂けても言えないわけです。

マズいワインだけでなく、全国には到底口にすることすら厳しい特産品が多々あります。それは行政予算をもとに取り組みがスタートし、地域の何らかの集団が中心となって仕掛けるわけですが、「みんなで頑張ればよい」という予定調和の世界です。それが激しい商品開発、販売を繰り広げる市場で勝つことなどはありえません。

責任者が消滅するから学ばない

コロナショックでも感じるのは、日本人は「みんなでやることは素晴らしい」という幻想が刷り込まれていて、それを美徳にしすぎているということです。
地域活性化でもよくいわれる「みんなで頑張ろう」という話。みんなで頑張ろうとは、私は責任とらないよ、という意味です。

会議でも「みんなで頑張りましょうよ」と言うので、「じゃあ、誰がいつまでに何をするのか分担決めましょう」と私が投げかけると、全員が下を向くなんてことに幾度となく出くわしています。みんなという言葉は明確な責任やタスクを雲散霧消にし、失敗した時も「みんなが悪いね」といったとんでもないお話で終わったりするのです。だから「みんな」という単位を壊す人は徹底的に集団から排除することで団結します。なぜならば「誰」という個人に分類していくことは「みんな」という存在しない主体に責任を押し付けることをできなくするからです。だから全会一致で、といって「みんな」で決めたことにしようとする人たちがいるのです。「みんな」なんて抽象的な主語はいりません。まずは「私」が何をするか、なのです。

3
地域を変えるのは「よそ者・若者・馬鹿者」という言い訳

いつから「よそ者・若者・馬鹿者」が語られるようになったか。

起源ははっきりとしないわけですが、私が地域活性化などと言われる分野に関わるようになった20年前にはすでにこの言葉は使われていた記憶があります。意図としては、

・外の世界から相対的に地元をみて企画を組み立てる人
・従来の常識に縛られない行動力ある若者
・バカとも思える思い切った行動をする地元の人

が組み合わさると良い、ということで、それ自体は確かにそういうときもあるかもしれない、という印象です。しかしながら、この組み合わせが金科玉条のように語られ、そういう人がいないから地域活性化が出来ない、という話にまで発展し、「よそ者・若者・馬鹿者」が幻想になってしまいます。

実際には、地元を離れたら二度と帰ってこないパターンばかりではなく、Uターン組のように外の世界をみて戻ってくる人も多数おり、そのような人が活躍することも多くあります。そうした人は、バカではなく、教育も受けて、有力企業に勤めたり、自分で事業を立ち上げてきている人も一定数います。

一方で、若いからといって考え方まで若いかと言えば、保守的で、伝統的な補助金を活用した地域活性化にのまれていく人たちもいる。若いけれど年寄りより凝り固まった人もいる。さらに、自分が主体者になるのは嫌だからと「私はコーディネーター」だと、合意形成ばかりやる人もいます。

圧倒的な存在感は必要で、地域のヒエラルキーから完全に外れてしまったような存在では、やはり困るのです。地域で一定の信頼を勝ち取っている人が、挑戦するに越したことはありません。地元で結果の出ている店や会社を経営している人のほうが、実際の突破力はあり、バカだと言われるような挑戦をしても一目置かれるのです。

結局他人任せ、「自分たちではない」という意識が基本

「よそ者・若者・馬鹿者」という言葉が流行るのは、結局、傍観者的な人たちにとって「我が意を得たり」になると共に、地元の多くの人にとっても「うちにはよそ者・若者・馬鹿者がいないから、変われない」といった言い訳に使えるという側面があります。自分がやらない理屈と言えます。

よくある話ですが、うちは閉鎖的だとか、出る杭は打たれるだとか、結局、言い訳なわけです。閉鎖的だろうと、出る杭は打たれるだろうと、やる人はやるわけです。「自分の保身で怖いからやりたくないんです。絶対に損したくないし」といってくればよいのですが、なぜか土地のせいにします。そもそもよそ者でなくても、若くなくても、バカなんて言われなくても、やればいいだけなのです。

地元に何代も続く信用される人・ある程度の事業経験を積んできた人・やるべき投資をする人

事業においては信用、経験、投資という３つの軸が必要になります。その点では、よそ者がきたところで、できることには限界があります。地域に多少なりのインパクトを

生み出すことはできたとしても、単独ですべてできるわけではありません。少なくとも地元で（先祖代々）数十年、住んでいる人の信用は重要になります。

さらに、「若者」であればいいわけではなく、事業に一定の知識や経験を積んだ人が加わっていることは大切です。20代後半から30代の挑戦に注目したら良いでしょう。

しかも、やるべき投資は、しっかりとする。地元でそれなりの信用と資本力がある会社でも、投資せずにジリ貧ということがあります。金をため込んで、「無借金だから」と食いつぶしていく地主のいる町は潰れます。

何代も続く家系で、一度外に出て経験を積んで、本業とは別の事業に投資して成長させていくパターンというのは、かなり理想的な姿と言えます。

例えば、独自の企画をした日本製のアパレル製品を販売する、ファクトリエの山田敏夫さんは、もともと熊本市中心の下通で長く続く老舗の高級婦人服店の息子さんです。

彼は実家とは別に、自ら全国各地に点在する、欧州のトップブランドなどからも受注・生産している縫製工場などと直接契約し、工場のブランドを作り出すファクトリエという事業を立ち上げ、テレビにも取り上げられる注目企業へと成長させています。

そんなファクトリエは、東京銀座にショップを出していましたが2019年に熊本下通にある実家の婦人服店を改装し、カフェスペースを併設した拠点を作りました。

そこではファクトリエの商品だけでなく、カフェで出す牛乳も熊本産を使うなど、食品関連のものづくりにまで踏み込み、新たな地域の活力を作り出しています。

地域において老舗の息子が外に出て、全国区で評価されるような事業を立ち上げ、地元でも様々な生産者を巻き込んだ取り組みを始めています。老舗としての信用、そしてゼロから立ち上げ事業を成長させた経験を持つ山田さんが、もともとの商店街にある家業の店に投資をして、まちに影響を与えているのです。

このような挑戦を地元の同年代の事業者たちも歓迎しているというのが、今の時代の変化です。少し前の商店街であれば、外に出て成果を挙げた人を純粋に受け入れるのはなかなか難しいでしょう。私が熊本で仕事をするようになり14年、世代交代によるまちの変化に希望を感じます。

4 組織を動かすときに効果的な「外圧」の使い方

自らがビジネスマンであれば、動くことによって成果を出すことができます。嫌がらせを受けることもありますが、事業基盤がしっかりしていれば、どうにかなるものです。しかし、自治体に勤めていたり、地元の伝統的企業で働いていると、その硬直的な環境の中でも、「個」として間違ったことをせずに生きていくか、というのは非常に難しいテーマになります。組織人ともなると集団圧力に完全に対抗する、なんてことをすれば、左遷されて、追い込まれることもあります。

今の全就業者の9割が、会社もしくは公務員という被雇用者ですから、取り組みを進めていく上で組織をどのように動かすか、は課題になります。

そもそも、おかしいことを「おかしい」と伝えるだけでは、集団圧力、ヒエラルキーの存在する場において、力を発揮することはできません。そのため、地域分野では企画を動かすときに、「全く上が動かない」「えらい人が理解してくれない」と悩み続けている人が少なくありません。

このときの典型は、同じ人たちで「説得しようとしている」ことです。物事を動かすとき、決裁者をその気にさせるときに意識すべきは「話す内容」で判断しているのではない、と割り切ることです。うまく話ができれば伝わるはずだ、熱意をもって説得すれば伝わるはずだ、というのは幻想なのです。

基本的には、多くの人は「誰が話すか」によって判断をしています。皆さんにも経験はありませんか。全然、話が通じなかったのに、えらい人が同じ内容を話したら皆が納得した、ということが。たいした内容を言っていないのに、専門家が言うと立派なコメントのように聞こえる、ということが。そんなものなのです。だからこそ、それをうまく生かさなくては物事をすすめることは難しくなります。

外圧を活用する際に配慮すべきポイントは以下の３つのアプローチです。

同じ組織属性の人を活用する【グループ軸】

まず重要なのは、同じ組織属性の人に話をすることです。例えば私のような民間人が役所の人に「役所はこうすべきだ」という話をしても、「木下さんは役所のことわかっていないからそんなことをいうのだ」だったり「民間は儲けのためにそういうことをいうんだ」という考えを持つえらい人はたくさんいるでしょう。つまり自分たち側の人か、違う人か、という線引をしているわけです。

身内ではない属性の人のいうことは、最初から壁を作って聞く人が多くいます。これを前提に考えるのです。

役人は他の地域の実績ある役人の話を聞くなど、属性に合わせた外圧を活用するということも時に有効です。そうすると入り口で「こいつは関係ないだろ」とか「部外者だ」といったようなことで門前払いにならず、スムーズに話が入ってくるようになるのです。

同じ階級の人を活用する【レイヤー軸】

もう一つは階級です。人は自分より上か下かというのに敏感で、特にヒエラルキーが明瞭な組織であるとさらに敏感になります。

ですので、話を聞かない部長に、同じ属性組織であっても、レイヤーの下の係長をつれていっても無意味なことが多くあります。部長には部長以上の外圧を活用することが大切なのです。

地域の人でも同様で年齢、キャリアなどで近しい人を適切にあてていくだけで格段に物事の伝わり方が違います。私が商店会長に話をするよりは、実績があり、話が分かる商店会長を連れていって話してもらったほうが伝わる。しかし、重要なのは伝える内容や実行することは自分がやると覚悟を決めることです。外圧はあくまで伝えるために必要な人として活用するだけ。そこまで他人任せにするという意味ではないことに注意しましょう。

外部評価を活用する【プレゼンス軸】

言う人によって物事の伝わり方は違うので外圧を使うということなのですが、最後の手段は自分の評価を外部を活用して変えるということもあります。私も当然ながら最初はよくわからん兄ちゃんが言っている、と思われていたわけですが、少しずつでも実績があがり、外部評価が高まっていくと周りの見る目も変わっていきます。

一方で、地元での評価は固定的で先輩後輩含めて変わらないわけです。だからこそ、評価は外部から変わります。認めてくれるのは大抵は地元外で、最後に地元で認められるようになっていくという流れです。当然やるべきことをやって成果を挙げるという地道なことがあってこそですが、地元だけでもんもんとしているのは損です。

特段表彰されたところで具体的な何かが変わるわけでもなく、外部から専門家として認められたりすることも意味はないのです。が、こと、地元での評価というものを変えていくのには時に効果的に機能することもあります。自分の評価だけでなく、グループの評価、自分たちがやったプロジェクトの評価を外部のコンペなどを活用して認めさせて、地元で頭角を現すということも効果的です。これもまた、「あの人たちが評価している」という外圧の使い方なのです。

漠然と外の人に話してもらうのではなく、「グループ軸」「レイヤー軸」「プレゼンス軸」の3つのアプローチを意識して、誰に何をもってどのような外圧を使うのか、適切に判断しながら進めることが必要です。説明は内容よりもキャスティング。誰にどう話してもらうか。さらに評価も地元より外部。そこに力点をおいて動くだけでも物事の運びが変わるでしょう。

5

想いは口に出し、4つの行動で示す

集団が持つ幻想は無責任と他力本願と現状維持を正当化するために共有されているものが多くあります。地域で現状を打開し、変化させたいと思っている方であれば、それらの圧力をかわしながら、自らの動きを続けていく必要があるわけです。

「様子見」は挑戦者を潰す

誰かの成功を見たときに「ねたみ」を感じたり、「恐れ」を感じるのは、人間としては実は自然なことかもしれません。しかし、そうした感情を制御せず、そのうえ暴れまわるなどというのはまったく理性的な行動ではありません。その地域に「新しい次なる動き」を生み出す動きを止めるばかりか、自分も衰退に巻き込まれていくことを忘れてはなりません。敵は「目の前のやつ」ではなく、もっと外にいるわけです。

では「ねたむ」「ねたまれ、疲弊する」ことによって地域が陥る「新たな負の連鎖」を断ち切るにはどうしたらいいのでしょうか。

この問題の解決には２つの軸に分けて考える必要があります。すなわち、地元の人々が「挑戦者・成功者を目の前にしたときにとるべき行動」と、「挑戦者・成功者側が意識すべきこと」の２軸です。それぞれ２つずつあるので、両者を合わせると「４つの行動」と言ってもいいかもしれません。

まずは前者からです。地元に「挑戦者・成功者が出てきたとき」、どんな行動をとるべきでしょうか。

①応援は「具体的行動」で示そう

例えば新規店舗をオープンするときに、地方の役所はすぐに家賃補助や改装費補助といった補助金などの案内をします。しかし、私が投資、経営しているプロジェクトではそうした申し出を一切断ります。補助金をいくらもらったところで、初期投資や運転資金の経費負担が少し減るだけにすぎないからです。

当たり前ですが、経営で大切なのは売り上げです。そして売り上げを作るのは、ほかならぬ地元の人たちです。

簡単なことですが、例えば地産地消のレストランなどができたら「地元の長老たちも一度は食べにいってあげる」「口コミで広げてあげる」。役所の人たちも「ランチでもいいから一度は皆で食べに行こう」という輪を広げることに徹底します。これがスタートアップ（創業）時のいちばん苦しい時期を乗り越える力になります。

「応援する」＝「売り上げに貢献する」こと。

例えば、私も役員として関わる愛知県春日井市勝川でのエリア再生のプロジェクトがあります。その事業では木造2階建てをリノベーションして4つのテナントを入れてスタートし、3年後に並びの空き地を購入して2階建ての10ほどの店が入る小規模商業施設を開発、さらに2021年には駅前で空き店舗になった再開発ビル1Fのフロアを全面リニューアルし、フィットネスやコワーキング、シェアキッチンなど様々な業態を組み合わせた拠点へと再生するプロジェクトを推進しています。そんな事業の第一番で取り組んだ、木造2階建てのリノベーション店舗の際に、入居してくれた英会話教室がありました。

最初は生徒たった6人からのスタートでしたが、一年で100名近くの生徒数へと急成長、第二弾で開発した新築の商業施設へと移転し、今や150名以上の生徒を集める人気教室になっています。もちろん、経営者の方の努力があってこそですが、立ち上げの際にPTA会長から商工会議所役員、ロータリークラブの役員などを務めた地元長老たちに「初めて店を始める人にはできない宣伝お願いしますよ!!」と依頼し、様々なルートで口コミを広げて応援したのです。

商店街でも空き店舗対策という困った言葉があるのですが、空き店舗の対策になるために店を出す人なんていません。商売はやって儲けるため、その商売を通じて喜んでもらえる人がいるからこそ楽しくて続けられるわけです。だからこそ、空き店舗に出店してもらうことは目的ではなく手段で、大切なのは出店後に応援をして確実に儲けてもらうこと。新規出店した人が儲かれば「あのあたりは儲かるらしい」と噂になって、次々とその商店街に出店希望が集まります。実際に勝山にはこの5年で20以上の店が出てきています。

これは移住定住政策も同じであって、人口を数でしか見ないのでは困るのです。移住してきた人たちが幸せに、豊かに生活ができるように、地域の関係者は全力で協力しなければなりません。次に来る人がいなくなるからです。

応援は具体的行動、売り上げなど結果につながることに協力することにほかなりません。もちろん「二度目以降があるかどうか」は店の努力次第としても、一度くらいは皆で応援してあげるつもりで行ってみたり、お客さんを紹介してあげることが大切です。「心の奥底で応援」などといっても、意味はないわけです。

創業支援は、ともすると行政の支援策ばかりが議論されがちですが、本来はお客さんとして定着する地元の人たちにできることのほうが大きいのです。

② 「様子見」は、潰しに加担しているのと同じ

新しくできたパン屋さんでも英会話教室でも「あそこの店は3カ月で潰れる」「1年は保たない」などと言ってお手並み拝見、のように斜に構えた姿勢でいては、実は地元住民として「潰しにいっている」に等しいのです。まわりにそういう人がいたら、積極的にその真逆で「あの店を応援する」と公言し、その店を買い支えるアクションを皆でとってください。1人でもそういう行動をとる人がいることで、新たな店をはじめた人がどれほど救われることか。

何より地域経済においては、集積メリットというものがあり、誰かが繁盛したら客を

とられるのではなく、新たなお客さんが地元に来てくれるパワーが生まれます。移住しても誰も幸せにならない地域よりも、何人も移住し、地域産業で新たなプロジェクトを通じて稼ぎも作っている地域のほうが、次から次へと人が集まるのと同じです。だからこそ、様子見などせず、最初の不安な時期にしっかりと応援しましょう。

何もしないくせに、潰れた後に「私は応援してたんだけどね……」なんて言うのは何の救いにもなりません。そして「あのまちは挑戦には向いていない、潰される」という話が伝わり、次に出てくる人はますます出てこなくなっていき、衰退は極まっていくのです。つまり、地元で新たな店が潰れたなど失敗の実績が重なれば重なるほど、結局は地元の人にもマイナスが降りかかることになることを、もっと深刻に受け止めなくてはなりません。

応援は人の為ならず。結果的にはその地域に、自分に戻ってくることなのです。

倉敷の大実業家、大原氏が残した「最高の言葉」

それでは、もう一方の「挑戦者側の視点」からはどのように考える必要があるでしょうか。実は、先人たちの例をみると、多くの反対をされているからこそ「価値のある仕事」であると考える人もいます。

③7～8人から反対されるうちにやるのが「仕事」

岡山県倉敷市の生んだ大実業家で、倉敷紡績（クラボウ）や倉敷絹織（現・クラレ）など多数の会社の社長を務めた大原孫三郎氏（1880-1943）は、「労働科学」の分野に日本で初めて本格的に取り組んだ1人として知られ、労働者の環境改善に努めたり、近代美術コレクションなどの文化事業にも功績を残しています。しかし、実はこうした大原氏の取り組みは当時からすれば異端の取り組みとして、つねに周りからの批判にさらされ続けていました。そんな大原氏は、生前このように語っています。

「仕事を始めるときには、10人のうち2、3人が賛成するときに始めなければいけない。1人も賛成がないというのでは早すぎるが、10人のうち5人も賛成するようなときには、着手してもすでに手遅れだ。7、8人も賛成するようならば、もうやらないほうがいい」

このように身内からも反対されたりしても、それで心折れてしまうことなく、自らがやってみようと思うのであれば、2～3人の賛成者しかいないときにこそ挑戦しなくてはならないということです。挑戦し、成功すると、さらにまた別の反対者が現れてきますが、「皆が気づいていないぞ」と前向きにとらえる考え方もあるということです。

④他のライバルを潰すのではなく、育てる

福岡市には「ふくや」という有名企業があります。ふくやは、創業者と二代目社長という親子二世代で、2つの画期的開発をし、明太子を福岡の地域産業へと育てることにつなげました。

一つは、辛子明太子を開発し、そのノウハウをなんと無料で他企業に提供、結果として最盛期には1500億円を超える明太子市場を作り上げました。創業者である川原俊夫さんは、明太子は珍味ではなく、惣菜にならなくてはならないと言っていたそうです。漬物のように皆が作るようになれば、必ず食卓に並ぶ。それだけ皆が食べるようになれば、その時にふくやとしていいものを作っていれば、確実に売れる。そういう考え方だったといいます。だからこそ、一企業が作る秘伝の珍味ではなく、コンビニおにぎりの定番になるくらいメジャーになり、地域産業としても非常に大きな基盤となったと言えます。

また、ふくやは創業者の息子たちも九州でも他社に先駆けてコンピュータを用い、正社員も含めたコールセンター要員を抱える画期的な通販システムを開発し、全国区での販路を確立。これもまた地元の他社に公開して、通販市場を九州で一気に勃興させます。キューサイ、やずやなどを含めてさまざまな九州の通販企業が参考にしたと言われます。その結果、現在では九州は「通販大国」と言われるほど通販企業の一大集積地になっています。このように二代にわたり、地域でライバルを潰すのではなく、むしろ育て、地域に広く貢献する企業となったのです。さらに、ふくやは地元の伝統行事である博多祇園山笠などにも多大なる貢献をし、最近では若者たちの企画への協賛も惜しまずしています。創業者の川原俊夫氏（１９１３-１９８０）は節税など一切考えずに、納税するものはそのまま納税し、残ったお金はできるだけまちのために投資しつづけたことでも有名です。

地域での挑戦者を潰して回るのではなく、育て、投資する。ふくやは今も福岡市におけるスタートアップ向けイベントのスポンサーを務めるなど幅広い分野に貢献しています。こういう会社があるまちは伸びるのです。

「ネアカな地域」に人は集まる

このように、ねたみを持たれることがあっても、それ以上に感謝する人が出て、圧倒的な貢献度でそれを乗り越えてしまう人もいます。成功者を潰すのではなく、成功者を讃え、教えを乞い、そして褒められた成功者もオープンな姿勢で対応する。このような連携が発揮されたとき、地域に競争力のある大きな産業が生まれます。

ジメジメと潰し合いをする地域よりも、当然ながらネアカで笑って飲んで楽しくやっている地域のほうに人は集まり、挑戦は成果を生み出し、その成果が潰されることなく、むしろ地域全体へと波及していくということも可能になるのです。

ねたみは、多くの人の心に住んでいるものです。だからこそ意識して、具体的な応援につなげたり、学ぶ姿勢に持っていくのもまた、気の持ちよう一つで大きく変わるのです。地域を変えることは、そんな自分1人でもできる、毎日の過ごし方を変えることから始まるのだと思っています。

第4章

幻想が招く「よそ者」頼みの失敗

人口減少が進む中で不毛な自治体での人口獲得競争を繰り広げている昨今、地域おこし協力隊の若者を制度で地方に呼び込んだり、関係人口といったかなり「ファジーな表現」でよそ者とのコンタクトを広げることに予算をかけるようになったりしています。

しかしながら、どういう付き合い方が地域にとっては建設的なのかは、ふわっとしたままになっています。

そのためある地域においては「よそ者」が地元を荒らす悪者の幻想を抱かれていることもあれば、東京の有名なシンクタンクやコンサルタントを過剰に持ち上げる「よそ者」幻想に支配されているところもあるのです。

地方は8割外注、うち半分を「東京のコンサル」が受注

第2次安倍政権の地方創生政策において「これからは地方自治体がそれぞれの特色に沿って独自の戦略を策定すべきだ」という考えにもとづき予算が配られました。実態はどうだったか。2017年に公益財団法人の地方自治総合研究所が、その行方を調査しています。

同調査によると、1342自治体のうち約8割が総合戦略の策定をコンサルタント等

へ外注していたことがわかっています。さらにその受注額、受注件数をみると、ともに東京都に本社を置く組織が、外注全体の5割以上のシェアを占めていたこともわかっています。せっかく地方に振り向けたはずのお金の4割以上（≒0．8×0．5）が東京へ還流していたわけです。

そもそも、「それぞれの地方が独自性を発揮して予算活用ができるように」と、地方が独自に策定する計画に対して、国が国庫からお金を出していたわけです。

それなのに、当時は「地方創生総合戦略バブル」などと呼ばれ、それこそ金太郎飴のように自治体の人口予測、産業構造、今後の予測みたいな同じ分析が載った「名ばかり総合戦略」が自治体に納品されていました。結果的に、「東京のコンサルが受託して計画をつくって地方自治体に納品していた」という笑えない実態があったのです。

とある自治体では、市役所を建て替える時にこれまた東京の建設系コンサルに計画策定を依頼し、東京の設計事務所に基本設計、実施設計を行ってもらい、さぁいざ開発だ、となったら、そもそも複雑な設計を実現できる建設会社が地元になく、公共事業にすらならなかったというひどい話もありました。

このように「外の人」「外の企業」を活用するにしても、実は地域の経済構造の図を頭に入れてやらなければなりません。お金の話がすっぽり抜けて、何でもかんでも地元以外の優秀そうな人や、確実な名前が知られた大手企業に依頼して進めていくと、結果的に地元にお金が残らないプロジェクトばかりになります。

これではやればやるほど、貧乏になってしまいます。

重要なのはどんなに立派な会社であっても、最後は「個」であるということ。そこにお金を払って本当にリターンがあるか。それは担当する人をみて考えなくてはなりません。そのため、プロジェクトごとの事業収支と共に、事業が域外収支改善につながり、平均所得改善につながる仕掛けを作るよう内の人、外の人の両方が取り組まなくてはなりません。

その意味では、何でもかんでも「人口」で語り、予算をかけて都市部から闇雲に移住定住者を集めたり、都市部の人との「関係人口」を増やそうとするのは、地域衰退を助長する可能性もあるということです。本当に投資回収できるものか、外から富を地域に運んできてくれるものなのか。常に点検しながら外の人とは付き合わなくてはなりません。

地域分野では「よそ者」と地域との適切な距離感が大切です。それは、地元側の基本的な構え方の問題でもあり、また地域がよくなるとは何かわからないまま、「良かれ」と手伝う「よそ者」側の問題でもあります。悪意はないからこそ、一歩立ち止まって、どういう関係がよいのかを考えないと、双方にとって後味の悪いものになります。

本章ではこの地域経済構造を意識した上で、地域側から見る「外の人」との付き合い方における幻想と、「外の人」から見た幻想について整理し、打開策について迫ります。

1
お金の話がすっぽり抜けた「外の人」活用の幻想

優秀な「外の人」に手伝ってもらえば地域が豊かになる、という幻想があります。しかしそんな優秀な外の人に手伝ってもらうのは非常に難しい。まず「優秀」なんて言葉で語っていたら人材の選定はできません。自分たちの地域において何をしたくて、どんなスキル・経験を持っている人か、といった個別具体に落とし込まなくてはなりません。そして大切になるのが、「お金」の話です。行き来するにしても、知識経験を交換するにしてもフィーが何らかの形で必要になります。

地域分野では、儲かるというのは個々人の取引だけを考えていてもだめで、地域全体の経済循環を構造的に頭にいれ、地域全体としてもプラスになるものでなくてはなりません。そのプロジェクトが黒字であったとしても、内と外の人にとってフィーがとれるものであったとしても、地域全体をみた時に外から流入する富よりも「外の人」に内から支払うフィーなどのほうが大きければ、個別事業としては黒字でも、地域全体の経営としては赤字になります。

そのため、域外収支をしっかり理解した上で取り組まないと、外の人を使えば使うほどに地域として損することになってしまうのです。

よそ者との付き合い方の前に、理解すべき「地域経済循環構造」

地元と外との関係を考える時に、建設的な地域経済循環の構造図は頭に入れておきたいところです。

地域経済は地元内と域外との取引によって成立しているわけですが、この域外収支がマイナスであれば、地域から富がどんどん流出して衰退していきます。何らかの生産活動を通じて作られた商品サービスが販売されると、そこから生まれる富が分配されますが、地域振興で基本となるのは平均所得の改善です。お金ではない価値があるとはいえ、平均所得を改善しなければ内需は拡大しませんし、地域に必要なものを域外から購入してくることも困難になります。

これまでは綺麗事をいっても、ここの部分が弱かったがために人材も流出することになったわけです。ですので、地域活性化の取り組みは何らかのカタチで分配部分の強化

地域経済循環のイメージ

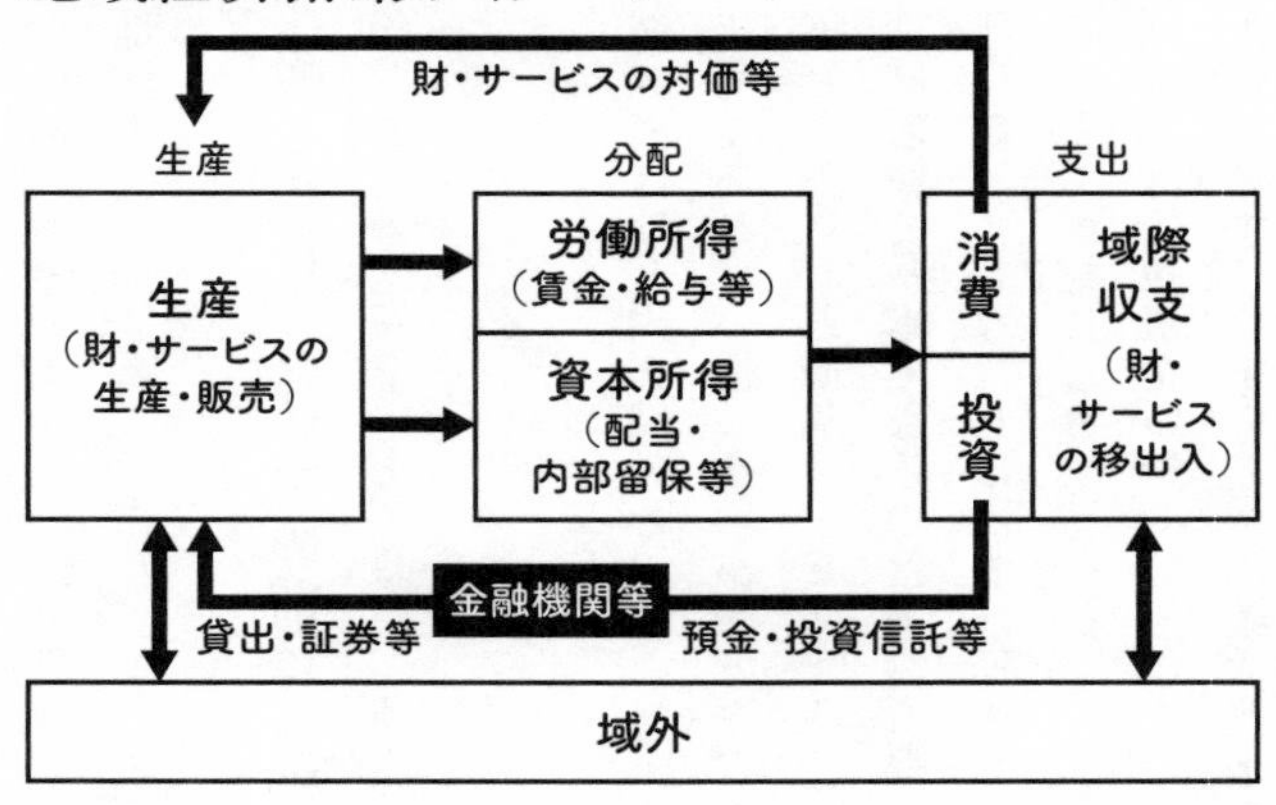

資料：環境省

は考えなくてはなりません。

　よそ者としては、やはり最低限、域外収支としてマイナスを作りださないように、域外への輸出を地域の商品サービス分野で実現しつつ、その範囲で自分たちの収入を作り出す努力を続ける必要があります。簡単に言えばある農作物が地元内で流通していても、地域内での生産と消費がされているだけなので、域外にもつないで収入を作るということです。観光で新たなお客さんを作り出すのもその一つですが、モノ経済を通じて外から富を持ってくるというのもあります。

また地域事業において大切なのは所得の作り方です。平均所得は、「労働所得」と「資本所得」の２つから構成されています。この時に労働所得を改善していくということも大切ですが、できれば地元資本をもとに生産が行われ、適切に資本所得も皆が得られるようになるとベストです。昔は地銀にお金を預けておけば地域内企業に投融資され、それが金利として預金にプラスされていたのですが、いまは機能しなくなっています。地元外の資本による生産が行われていくと、消費から地元の外に流れていくことになるので、域外収支は悪化します。

前述したスペイン・バスク自治州の労働者協同組合の取り組みが特徴的なのは、この資本を労働者が出し、労働者と経営者の給与格差も最小化しようという仕掛けです。資本所得を労働者も得られるし、労働者の平均給与が高くなれば、それが地域内の消費にも繋がり、さらに次なる事業に対する投資資本も労働者が出していくことが可能になり、ぐるぐると回ります。

今の地域における問題は、地元の労働者の多くが労働所得も低く、資本所得は下手すれば皆無という構造になっていることです。ここに外部コンサルタントなどが入って山ほどコンサルフィーをとれば域外収支はさらに悪化することになります。再開発したけれどテナントは全て地元外資本のチェーンストアとなれば、開発すればするほどに域内収支は悪化します。

地域の発展は、地域の外の資本による対内投資を必要とするタイミングもありますが、徐々に地元資本による置き換えが必要になります。生産も同様で、もともとは地元に必要なもので作れないものは外部から輸入するのが必要なわけですが、それも輸入置換によって、内製化することで富が地元で回り、さらに競争力が増せば他の地域に輸出して稼ぐことが可能になります。

外の資本で稼がれてしまうと、いくら地域にたくさんの人がきたとしても、地元の人は豊かになりません。観光地でいえば、ハワイでは地元の人たちは観光産業のリネンなどの仕事ばかりの一方で、不動産は高騰し、ホームレスの問題など社会格差を抱えています。近年の沖縄も東京資本や外資による開発が進み観光産業は成長する一方で、県民平均所得はあまり改善しません。雇用創出は大切ですが、いつまでも低賃金労働であれば出口はないのです。

地域経済構造については産業連関表を分析する方法がありますが、今は内閣府が提供するRESASで全体像をすぐに把握することができます。また地域経済の変化を作る上での経済学的な知見を得るのには中村良平『まちづくり構造改革』を読まれることもおすすめします。

地域活性化のプロジェクトはこの問題解決を農林水産業、工業、商業などを通じて可能な限り是正しつつ、外の人と付き合う時にもこの域外収支の改善につながるプロジェクトを優先する必要があります。

まず、内と外との関係の中で最低限双方が理解し、これらのポイントを元にプロジェクトを組み立て、共有しなければなりません。つまり、外の優秀な人とつながればいいのではなく、そこで支払うフィーと地域の域外からの稼ぎがバランスするように考えていく必要があります。

地方最大産業年金とタイムリミット

もう一つお金の流れの話を考える上で、年金は無視できないルートです。

交付金、補助金という仕組みによって都市部から地方へと財源分配されるだけでなく、高齢者には年金が現役世代の負担と税金から支給されています。

すでに日本の年金支給総額は約55兆円となっています。自動車業界の市場規模（69.6兆円）、金融（65.6兆円）、総合商社（53.7兆円）と比較してもその大きさがわかります。

しかもこれは高齢者の数によって偏在するので、高齢化率の高い地方ほど年金という現金支給のパワーは大きくなっています。民間による産業がなくても、年金は制度として地域の高齢者に給付されるので、それによって地域内経済の個人消費が回るという仕掛けになっているわけです。

日経新聞の調査によれば、スーパーの店舗あたり来店客数と販売金額を調べたところ、18年は全国ブロック全てで年金支給日が給料日を上回ったことがわかっています。2008年との比較でも大幅に年金支給日における消費が拡大しており、消費金額ベースでは圧倒的に給与支給日よりも年金支給日に偏って消費が拡大するようになっています。高齢者中心社会の日本は年金大国なのです。

そういう意味では、地方は自らの事業を通じて稼ぐことよりも、制度による分配産業の方が大きいわけです。だからこそ、役所が地元最大企業になる地域がたくさん出てきます。この年金や交付金、補助金で下支えされている地域内経済を活用し、いかに地域内で産業を育て、民間経済として外貨獲得へと動けるか。それがないと、地域内の高齢者が亡くなられていく自然減の状態が続く限り、内需も次第にしぼんでいくことになるからです。さらに言えば、今の高齢者の方々の子供世代は都市部に出ている方も多く、相続の後には高齢者の方の貯蓄などの多くも都市部へと移転されてしまいます。

年間死亡数は現在の１３８万人程度から２０３０年前後には１６０万人程度へと、拡大することが予想されており、三井住友信託銀行調査月報２０１４年9月号の予測によれば、今後20年ほどで相続される資産総額は６５０兆円を超えるとされています。やはり地方から東京への流入は大きく、流出と差し引きしても30兆円ほどの超過が予測されています。人口の一極集中に注目するのではなく、このような資金の東京一極集中も進むことを考えなくてはなりません。

地方から資本そのものがなくなってしまえば、前述の通り、地域内の資金で投資して、地域内の経済を回し、さらに外にも打って出るというシナリオがますます組み立てにくくなります。地銀も貸出先がない、なんて話をしている場合ではなくなり、貸し出す金すらなくなっていく時代へと変わるのです。タイムリミットは迫っています。

地域内で幻想に囚われて人口論ばかりに取り組んでいると、目に見えない地域経済構造、さらに言えば資本流出の残された時間的制約もほったらかしになってしまいます。

「外の人」とのプロジェクトで期待すべきは、残された時間、残されている地域の資本をもって、地域の外からの稼ぎを制度以外でいかにして作っていくかなのです。

2

関係人口とは地元のファン増加だという幻想

関係人口について総務省が政策化したこともあり、移住定住でもない、かといって単に観光客でいくということでもない、そのあり方に注目が集まっています。いわゆる居住人口でもない、交流人口でもない、第三の人口としての関係人口ですが、「地元のファンが増加すれば地域がよくなる」という幻想を持ったものも多くあります。

もちろん、ファンが増加することはとても大切です。ただそれは、単に「ファンです」という人が増加するのではなく、より具体的なアクションがセットである必要があります。

というのも、「お金じゃないんです、互いの関係が大切」と言っているはずのファン作りが、実は行政予算というお金に支えられているプロジェクトが多いからです。お金ではない関係作りのために、お金が使われるという矛盾は、まさに都合の悪いところは忘れてしまう幻想頼みの取り組みだと言えます。

地方が苦しんできた、コスト倒れの誘致

最近では、従来の移住定住政策の難しさを反映しつつ、新たな都市人口と地方との接点を数値化しようとする動きが出てきました。それが関係人口という言葉です。

とはいえ、定義もまだ非常に曖昧としており、従来の人口論で語られるものとは異なります。一方で関係人口という非常にファジーな言葉を目標に掲げてしまうことで、全自治体がこれらの誘致合戦を展開しようとしている動きも見られます。

実際、地方に必要なのは単にゆるい関係を持つ人口ではなく、明瞭に消費もしくは労働力となる人口を移住定住せずとも確保していくところに価値があるはずです。そして、そこには「誘致コスト」もかかります。

地方は今まで何かにつけて、「誘致」を行ってきました。

伝統的には工場誘致、大型商業施設誘致、昨今は観光客誘致から移住定住促進といった具合に、地元にないものを外から誘致することによって活性化を目指すというアプローチは長らく様々な分野でとられてきました。

その中で雇用を数十人確保しました、というのは良いこととしても、その雇用によっ

て生まれる所得がいくらで、その総額で可能な課税金額がいくらであるのか、といった出口までを細かく整理されたものはほとんど見かけません。

さらに言えば、誘致のために補助が必要となるオフィスの整備費や家賃といったコストは見えているものの、収入面は人数でしか把握できていないものが多数あります。さらに工場となれば、施設自体のみならず周辺の道路や上下水道などのインフラまで作るのに対し、生産設備などから得られる固定資産税収入など、自治体の税収につながる収支についてのイメージもなかったりするわけです。

工場や商業施設をみれば撤退してしまうことも少なくありません。膨大な税金で誘致をしたものの、経営が傾いたら工場の生産縮小、もしくは撤退となり、地元には負の遺産だけが残ります。今度はその「余ったもの」を活用するために税金を投入しなくてはならない。本末転倒な事業も見られるわけです。

しかしながら、人口減少やグローバルでの製造業の競争、ネットを含めた商業競争環境といった現状に鑑みれば、中長期での撤退リスクも加味することは当たり前で、それらを含めて、「投資対効果」があるのかどうかを検討することが求められています。リスクも加味した損益を前提とし、お金で入と出を双方比較して、プラスを作り出すという地域全体の経営判断を行わないと、結果としては誘致によって後に地域が衰退することも出てくるのです。

近年の観光分野でいえば、オーバーツーリズムは日常生活を破壊するほどに地元コストが高くなっている割に、そのコストを上回るだけの適正な負担を観光客、並びに観光産業企業が負えていないという状況が浮き彫りとなり、問題となっています。安売りをして数を追った観光客誘致が地域を疲弊させる典型的なパターンです。

移住定住でも同様で、所得との関係を意識すべきです。

一つは、移住定住した上で、地元で仕事に従事してもらった場合、それが一定の所得を得られる仕事であり、所得税、住民税の納税を通して地域財政に助けになるかを考えることが重要です。人口減少を抑えるためだけに行うべきではありません。

無料の祭りでは都市部のタカリは増えても、ファンは増えない

わかりやすいケースとして、地方では秋口になると様々な無料のお祭りが開催され、無料で食品を振る舞うことがあります。東京都内のアンテナショップでもそのような配

布会が開催されたり、わざわざ広告代理店に高い委託費を支払ったプロモーションの一環で都心部の駅前で、タダで配ることもあります。

さんま祭り、ホタテ祭り、うに祭りなどなど多様な無料の祭りが開催され、都市部住民にとってはありがたいものではありますが、それでは本当のファンは増えません。タダでもらってありがたいというだけか、下手するとタダなのに文句をいうタカリすら現れます。単に安いという経済的メリットを受けられるから集まるだけで、お金で人気を買っているにすぎません。

関係人口に期待される、精神性以外の2つの経済的役割

信頼感や互いを支えるつながり、といった精神性は大いにあっていいですし、インターネットがあり、ロジスティクスも発達した現代において、現地に住まなくても、地方と都市の接続は非常に高度に行いやすくなっており、それを活用することはとても大切です。しかし、同時に算盤勘定も大切です。

二宮尊徳の報徳仕法でも道徳と経済の両立が重要視され、「経済なき道徳は寝言であり、道徳なき経済は犯罪である」という有名な教訓もあります。

関係人口も同様で繋がりなど人徳の世界も大切ですが、経済も大切なのです。両方がなければいけない。渋沢栄一の『論語と算盤』も、まさに2つの要素の両立の重要性を説いています。つまり重要な物事は何か一つの尺度だけではだめで、精神性と経済性両面から迫るくらいの中庸が大切ということでもあります。

精神面でのつながり、連携がある前提として、さらに関係人口という「外の人」に期待されるべき経済的役割としては以下の2つがあると思います。

一つは、地元に住んだり訪れたりするだけではない「新たな消費」に貢献してくれるということです。お金を払って関係人口を確保するのはナンセンスですが、ネットなども普及した昨今、地元を訪れたりせずとも地元の商品やサービスを購入することは可能です。地元を理解したり、好きになってくれて、その上で都市部に住みながら地方消費を行うという人を確保することには大きな意義があるでしょう。

つまりはお金を払って関係人口を確保するのではなく、都市部住民にお金を払ってもらって関係人口を確保するのが重要という、当たり前の話です。

もう一つは、地元に不足する「付加価値の高い労働力」となってくれるという視点です。東京などは本社機能で年間約30兆円の域外収支がありますが、企画業務やクリエイティブ業務に関係する人材は都市部に集中しています。

地方に必要なのは、生産性が低く、給与の安い業務の引き受け手ではなく、新たな付加価値を生み出し、安い商品を高く売るための営業企画を組み立て実行できる人材です。関係人口とは、このような〝地方に移住定住することがなかなか困難な人材〟を活用することによって経済を回していく人であるべきです。特に上場企業の副業解禁などの流れもあり、パラレルワークスタイルで成果を挙げている事例も各地で見られるようになってきています。

漠然とした中で関係人口を募集するのではなく、「消費力」「労働力」という2軸をもとに地域に必要な関係人口をターゲティングし、そのような方々と意味のある関係を適切に築いていくことが重要です。

今伸びている地域はまさにこれを適切に行っています。遠隔でも魅力的な商品サービスを作って消費を呼び込み、さらにそれに関わりたいと思う関係者を増やしていくことによってプロジェクトのパワーを創り出すことができているのです。闇雲に行うのではなく、これら2軸に貢献してくれる人材との信頼関係を着実に構築しているのです。

くれぐれも「関係人口100人確保」といった適当な目標を掲げ、国の予算ありきのもとで〝地元ファンクラブ〟を立ち上げる地域が増加しないでほしいものです。

中身がなければ「外の人」との健全な関係はできない

関係人口のプロモーションの中には、無理しているものも少なくありません。もっと自然体でいいのに、華やかなところばかりを都市部にアピールするものも多い。プロモーションとは着飾って虚像を売り込むものという幻想を抱いている人がいまだにいるからです。

しかし、その地元に「実」がなければどんなに多くの人に認知してもらったとしても、その地域にとっての遠隔地からの消費力になってもらったり、困ったことを助けてくれる労働力になってもらうこともできません。外を向いてあれこれ言う前に、まずは地元と向き合って「実」を作ることのほうが大切だと私は思います。

以前鯖江市を訪問した際に、地元の方々とお話をして驚いたことがありました。鯖江と言えばメガネで世界的にも有名なまちですが、かつて地元学校の進路指導では「勉強しないとメガネ屋で働くことになるぞ」なんて話が普通にされていたといいます。しかしこのような話はどこのまちでもありますね。勉強できないから地元に残り、誰もしたくない仕事をするのだ、という発想では、あまりに悲惨です。

しかし鯖江の先人たちが偉かったのは、そういう言われ方をしても経営者たちは諦めず、新たな技術開発、商品開発を続けて、今やメガネの技術を転用して医療機器関連産業分野でも大きく成長を遂げているところです。もちろんメガネ分野でも最終製品を自ら作るメーカーも増加し、全国的ヒットを生み出し、イタリアからも企業買収があったりするのです。

鯖江に行った時に感じたのは、地元の方々の自信と魅力です。

まず魅力的なまちというのは、地元の魅力のゴリ押しではなく、地元の人たちが自然体でプライドをもっていることが重要になります。自分たちの仕事に価値を見出し、それをもって地域を支える産業にしている人たちの話には魅力があります。

同時にしっかりとした産業がありますから、好きになればこちらもメガネなど地元で作られて、外貨獲得につながる商品を購買することもできる。私も滞在時間数時間の間に数万円するメガネをついつい購入してしまいました。今や鯖江のメガネ産業や医療機器関連産業は世界的にも注目を集め、イタリアなど外資が買収希望をするなど国際的産業となっています。

さらに、竹部美樹さんが代表を務めるエル・コミュニティというNPO法人は、SAPジャパンやKDDIをはじめ「外の人」である海外や東京の民間企業から様々な資金を集めて、地元の子供たちへの先端的なプログラミング教育に取り組んでいます。伝統産業だけでなく、これから必要な分野における知見を企業と組んで地元の子供たちにいち早く触れてもらうという挑戦があり、地元の官民ともに協力しているのです。

「外の人」「外の企業」との建設的な関係を作っていくのは、このような地域産業が東京どころか、海外までも相手にして、さらに未来をみて投資をする人たちがいることが大前提なのです。すると、個人だけでなく、企業も含めて共に取り組みたいという人たちが出てきて、共に技術や資金を出し合うパートナーシップが可能になるのです。

人参をぶら下げて関係人口集めといった表面的な外とのコミュニケーションではなく、まずは地元の掘り下げ、挑戦の積み上げがあってこそ。本当に地域にとって必要な「外の人」が共に取り組むという話になります。関係人口は追いかけるものではなく、引き寄せるものです。

3　なぜ「ハイエナコンサルタント」は現れるのか

「外の人」問題においてどうしても触れなくてはならないのは、コンサル問題です。地域においては「わからないことは専門家に任せるもの」という幻想が、いまだはびこっています。

同時に「外の人」にも地域のために貢献しようという高い志をもった個人、組織もある一方で、地方に供給される予算をおいしいビジネスだと思って狙っているハイエナのようなコンサルタントなども多くいるのも確かです。

本来は、地元の人たちで計画を組み立て、事業を立ち上げ、産業を形成して動くのが基本です。もしできる人物がいなければ、できるようになってもらうのに教育投資をする。

明治時代ですら岩倉具視たちのように海外をみてまわり知見、技術、人脈を積み重ねて考えたわけです。それでも外部の力が必要なときには、北海道開拓のように農学校を作り、アメリカからの技術者を短期間で高額のフィーを支払い、日本の若者たちへ教育訓練をしてもらって人材開発をしたわけです。つまり外注してなんでもやってもらって、地元には何も身につかないという「外の人」との付き合い方は不健全なのです。

取りに行く方も取りに行く方、任せる方も任せる方

2021年、新型コロナショックから立ち直り、経済を回復させることができるのか。まさにこれが喫緊の課題ですが、地方においては今、まさに注意しなくてはならないことがあります。

それは国から地方に配られる「新型コロナウイルス感染症対応地方創生臨時交付金」など、コロナ対策費で配られる自由度の高い資金の活用です。

2020年4月22日に閣議決定された1兆円の「新型コロナウイルス感染症対応地方創生臨時交付金」（1次補正予算）は4月末に成立しました。その後さらに、2兆円の増額要請が全国知事会などからも出され、6月12日に第2次補正予算が成立しました。合計3兆円の交付金が、地方のために使われることになるのです。

この巨額のお金の活用を巡って、全国各地の自治体関係者には「提案したいことがあるから時間が欲しい」といった連絡が、東京のコンサルティング会社などから相次ぎ、

今も続いています。地方の裁量で使える資金があるというのをよくわかっているのです。営業を仕掛ける側もどうかなと思いますが、提案を聞いて金を払ってしまう側もまた、外注なれしすぎている地域問題に起因していると思います。

「やったことないことはできない」という幻想と「できないことは外注すればいい」という幻想が組み合わさって、いつの間にか、誰も自分の頭で考えなくなっていないでしょうか。そこに付け込む悪質な「外の人」がたくさんいるのです。

外注ばかりを続けると外注しかできなくなり成果物評価すらできなくなる

今の地方のさまざまな業務の問題点は、計画するのも外注、開発するのも外注、運営も外注、となんでもかんでも外注してしまうことにあります。

先に触れたように、地方創生政策がスタートした際は、事実上、地方創生総合戦略のほとんどが外注にまわされ策定されました。計画だけでなく、個別の事業でもコンサル任せになったものばかりです。人任せの計画と事業をいくらＰＤＣＡサイクルで管理しても無駄です。

「移住定住のキャンペーンをやってくれ」と外注したり、「地元をPRする動画を策定してYouTubeでいっぱい再生されたい」といった外注をしたり、「ふるさと納税をもっと集める企画を考えてほしい」などの外注があとをたちません。ひたすら外注、外注、外注です。

東京本社のシンクタンクやら代理店も、全国津々浦々まで知り尽くしているわけではなく、地域の状況に応じてゼロから提案を作れるわけでもありません。せっかく東京から分配された税金が、地方が「なんでも外注」することで、東京の会社に還流して、そこから適当な提案をされる。しかも地方はそのいい加減な計画を鵜呑みにして失敗を重ねて、衰退を加速させる。そんな悪循環が発生しています。

外注主義で奪われる地域の3つの能力

このような地域の外注主義と、そこに群がるコンサルの構図が生み出す悪循環は、地域から3つの能力を奪います。

①執行能力がなくなり、自分たちで何もできなくなる

何をするのにも外注していると、自ら企画を考えたり、さらには実行する能力がなくなってしまいます。結局、何をするのも外注せずにはできないため、機動力も弱く、変更をかけるのも外注先との協議、時に追加予算まで必要になることも少なくありません。単年度主義の行政などでは、途中でうまくいかないのがわかっていながら、頑なに計画どおりに進めることに固執してしまいます。

②判断能力がなくなる

もともと自前でやったうえで、一部を外注するのであればよいのですが、何をするのも外注してしまうことで、まったく何もわからない。そのため、人にやらせる業務の内容を設計することさえ外注任せとなります。さらに納品物の「良し悪し」の判断能力までも削がれていきます。「名ばかりコンサル」があちこちで仕事ができる理由の一つです。

メーカーでは外注を使うにしても、見積もりの正当性や品質を判断したり、技術開発能力を維持するために、小規模な内製用の子会社を維持することがあります。判断能力があれば、外注はうまく使えるのです。

③経済的自立能力が削がれ、カネの切れ目が縁の切れ目となる

さらに外注主義の最悪なところは、毎年「言われるままのコスト」がかかり続けることです。自分で執行できない、さらには判断さえできないことを他人に任せてしまえば、いざという時に「なら自分でやりますよ」とは言えません。

何をやるのにも予算、予算。しかも事業は失敗ばかりなわけですから、おカネが尽きるのも当たり前です。しかも、カネの切れ目が縁の切れ目。外注先の時には相談を聞いてくれていた企業も「おカネがないなら仕事はできません」と去っていくことになる。そして手詰まりになるのです。では、地方はどうすればいいのでしょうか。

外注依存の「毒抜き」のためにも、自前事業を一定の割合で残せ

答えは、外注よりも人材へ投資をする、です。当事者たる地元の人たちの知識や経験を積み上げて、独自の動きをとるのがなんといっても大切です。

もし、他の地域の事例について調べたければ、実際にその地方を訪ねて、実態を細かく調査し、レポートを書かなくてはなりません。調査を業者に外注したうえに「どうや

ったらいいか」まで考えてもらっても、わからないものを鵜呑みにしてやることほど、恐ろしいことはないのです。

レポート作成に多額の予算を積むのであれば、行政であれば職員に、企業であれば社員に自ら調べさせ、考えるに必要なスキルを身に付けさせる方が得策です。さらに、研修の予算を捻出して人材投資をして、「自力で考える力」を形成すべきです。

前述の岩手県紫波町の、ワークショップやＰＦＩの仕様書策定を外注するのではなく、職員に研修を受けさせた話は、まさに地域が取り組むべきやり方です。だからこそ、その後にオガールプロジェクトなど複雑な行政と民間の連携を実現できたわけでもあります。

数十年前の総合計画などは自治体職員や地元専門家、メディアたちが自ら集まり策定し、秀逸なものが多くあります。まちの小さな公衆トイレといった公共建築なども役所の技師が自ら設計した優れたものが全国各地に残っています。外注管理ではない仕事が、地方の独自性を作り出すのです。地方自治の時代だと言われ、権限なども拡充されたはずが、事業執行が外注頼みにならざるをえない業務遂行方法、専門性を犠牲にするジョブローテーションなど、役所はしっかり見直すべき時にきています。まずは地方自らが「外注依存デトックス計画」を自分たちでたてるのが第一歩ではないでしょうか。

今の地域には「ハイエナのように電話して営業してくるコンサル」は全く必要ないのです。そもそも電話してくるコンサルは暇で三流もいいところです。実績があり、実力のある人たちは常に仕事が多いものなのです。暇な人員を抱えているコンサルは、有名無名関係なく、ろくなところはありません。

そんなところに絶対に騙されてはいけません。

まずはわからないなりにでも地元の行政、民間だけで、今からでも取り組めることをやればよいのです。もし、そのような挑戦が駄目になったとしても、本来、地方に配る目的でつくられた交付金の役目を果たすわけですから、それはそれで良いのです。自分たちで考えて失敗した反省は、次の事業につながります。

4

「外の人」を生贄にしないために必要なこと

地域に新たな「外の人」を招き入れる方策として、地域おこし協力隊の制度は広く活用されるようになっています。私も10年ほど前、地域おこし協力隊制度が設立された頃から、毎年の状況など実情を多様に聞いてきました。今や数も増えて地方にいった際に、協力隊員にお会いしないことはないほど広がっているのが実態です。

同制度は総務省から交付金による金銭的支援が１００％つくため、地方自治体は自分たちの費用負担なく、３年間、外からの移住者を受け入れ、給与を支払うことができるものです。

人手不足に悩み、衰退が極まる地域では、外から若者を中心に受け入れ、活性化を目指すために活用されています。総務省によると令和元年度においては、全国の１０７１自治体（平成30年度１０６１自治体から10自治体増加）が地域おこし協力隊の受け入れを行っており、従事している隊員数は５３４９名（平成30年度５３５９名から10名減少）となっています。

本制度スタート当初は非常に小規模な事業でしたが、今となっては５０００人を超える人たちが全国各地に移り住み、活動をされています。

これだけ規模が大きくなれば全てがうまくいくわけはなく、やはり地域の抱える課題同様に、外から入り込んで奮闘する地域おこし協力隊員も、様々な悩みを抱えています。特にこの支援制度は時限のある制度のため、３年のうちにその地域で自活できる経済力を身に付けなくてはなりません。就職するか、起業するかという話なのですが、衰退地域にめぼしい雇用機会があることは稀で、人手不足の地域内の産業をシーズンなどで複数組み合わせて請け負ってサポートするなど器用な人であれば需要があるのですが、まだまだ多くはありません。さらに地域の稼ぎを増やしてほしいという考えも地域側にもあるので、地域おこし協力隊員向けの起業支援が昨今では積極的に行われています。

しかし、もともと地元に資産や信用を持つ人ですら難しい立地で、地元で何の資産も持たない人間が事業を立ち上げることがより難しいのは言うまでもありません。

私自身がもともとそういう立場であったのでよくわかるのですが、地方にいったところで所詮はよそ者。そこでともに何か仕事をして、対価を得るというのはそう簡単ではありません。しかも冒頭説明したように「よそ者」である私が全ての利益をとっていってしまっては地域はさらに細る。新たな地域の収入を作り、さらにそこからフィーをとって自分の事業、会社を成り立たせるというのは簡単ではありません。

私の場合は高校1年の時から、東京・早稲田の弱小商店街での地域活動に関わった2年間はあくまでボランティア活動の立場として参加していました。その後、高校3年の時にはじめて会社を皆で設立し、地域として新たな稼ぎ作りを意識して全国各地の地域の方と仕事をするようになるのですが、最初の3年はまともな給料をとれないほど右往左往していました。それは私の未熟の極みではありましたが、一般的にも衰退地域に入り、3年で自分なりのスタイルを確立し、地域に稼ぎを作り、そして自分の経済基盤も作り出すのは、容易ではないわけです。

お手並み拝見の地元、全て手探りの隊員では成功しない

地域おこし協力隊を外から呼び寄せて、地域に新たな可能性を作り出すのは、単に隊員だけの問題ではありません。地元に住んでいる方々も同じで、縁もゆかりもない人をどう受け入れていいか、と向き合わなくてはならない。

つまり単に外から人を呼び寄せるだけで「地域おこし」が成功する、というのは幻想だということです。少なくとも数人、数十人の地域おこし協力隊員を地域に入れるだけでは、今、まさに加速度的に進む人口減少は解消されません。変化のきっかけにどれだけ隊員、地元の人、自治体関係者の三位一体で協力関係を築けるのか、が試されています。

それなのに、地域によっては外からくる若者に対して「お手並み拝見」といった具合に様子見をする地元の人々、成功すれば「外からきたくせにずるい」と足を引っ張ることすらあったりします。

二宮尊徳は、江戸時代に廃村寸前の村に人を誘致するとき、その人たちに立派な家や農機具をわたして精を出してもらいました。それを妬む住民も多かったのですが、次のような趣旨の発言をしています。

「生まれ育ったものが逃げ出すような、見ず知らずの村にきて、畑一つもっていない者が挑戦するのだから当然のことだ。大いに精進してもらう環境が大切」

自治体職員も上から言われて予算ゼロで外から人を集められるからと、募集するだけで、プロジェクトも用意せずに、応募者を闇雲に地域に入れたまま飼い殺し状態にしてしまうところもあるのです。それではどんな隊員がきても成功はしません。

なかには、やることがなさすぎて封筒に書類を入れる仕事を役場でやらされたり、はたまた放置した上に、市町村をまたいでの移動を禁止する、なんてルールのところもある。なかなか阿鼻叫喚の状況です。

隊員側も、スキルを持った真剣な方もいる一方で、ワーキングホリデーの国内版という感覚で来る方もいて、「地域おこし」ではなく「自分さがし」が目的という矛盾も垣間見られます。自分のやりたいことがあるから、３年間給与をもらいながら好きなことができると聞いてやってきた、と地域にあまり関係ないことを仕掛ける方もいます。さらにすでに所帯を持たれていて、それぞれの地域で何かをカタチにするというよりはあくまで給料をもらうために地域おこし協力隊員になっており、３年の任期が終わると別の地域の地域おこし協力隊の枠に入る「ホッピング方式」をとっている方もいました。

制度上の問題はありませんが、「外の人」側にも問題があることは事実です。

募集する側、入り込む「外の人」の双方のマッチングを精緻にやらないと、本当に数合わせの人口を外から引っ張ってきたというだけになってしまうのです。

地域おこし協力隊など「外の人」を呼び寄せる上で意識されるべきポイント

地域おこし協力隊など外の人を地域に呼ぶのであれば、地域側は以下のことを最低限意識してほしいと思います。でないと、とんでもない人を外から呼び寄せる可能性もありますし、はたまたいい人を呼べたとしても活用できません。

①兼業規程は全国一律でＯＫにすべし

地域において３年後に起業するにしても、どこかの仕事を請け負う、就職するにしても３年間の業務期間中に準備をしたり、試用期間でお試しをしたほうがいいでしょう。必ず兼業はオープンにしなくてはなりません。現在は、全国区で考慮されているように感じますが、その認識が現場にまで至っているかは地域差があるので要注意です。

②「特技」（手に職）がある人を優先して採用すべし

やはり地域において即戦力として何かを生み出したり、地域産業にプラスになるのは特技がある人です。どんな技能のある人に来てほしいのか、この点は地域側もイメージしておく必要があります。プロモーション分野の人材が欲しいのであれば、過去にフォトグラファーの仕事をしている、ＷＥＢを立ち上げられるなどです。単に大学卒業、自動車普通運転免許だけでは地域において即戦力にはなりません。

③募集側も一定の事業想定を持ち、人を探すべし

地域の募集側も具体的なプロジェクトを一つくらいは想定しておかねばなりません。なんでもいいです、人手不足の仕事をやってもらいます、では地域が新たな稼ぎを作り出したり、魅力を作り出す上でいい人がくるはずもありません。

④地域おこし協力隊業務と「地元民間メンター」との相互管理をするべし

国の交付金を活用した自治体支援制度ではあるものの、やはり地元に入り込み成果を挙げる上では民間の存在は大きいものです。自治体職員が起業なんて本質的には支援できるはずはなく、向いていないのです。だからこそその地域で成果を挙げる民間事業者をメンターとして紹介してあげられるかどうかは大切です。そもそもこれは担当職員がそういう民間人とつながっているかどうかが試されます。

⑤ 集落支援業務は分離すべし

地域おこし協力隊ですから、集落支援員と同じ取り扱いにしているようでは駄目だと思っています。集落支援も大切ですが、毎日、軽トラにのって高齢者の集落を回るというのは、地域おこしではありません。ミッションと成果を共に挙げてくれる内容を考え募集を行うのが適切と考えます。

一方で、地域に入っていく「外の人」の立場の人はこのようなポイントで現地の人としっかり話をすることです。表面的な「地域いいとこ」みたいなプロモーションではなく、具体的な内容をしっかり聞いてまわって、現地にもいって確かめてからのほうがいい。悪意なく準備をしていない地域もありますので、会社を辞めてからわかっても後戻りはできないのです。

またすでにその地域に入って生活している人と事前につながり、やりとりすることも大切です。今の時代、地域おこし協力隊、移住定住にしてもちゃんとした地域は必ず過去にそこに入って成果を挙げている人、素晴らしいライフスタイルを送っている人がいます。一部の人たちが都市部から地方へ移動する流れができて久しいですから、ポイントを押さえている地域には先行者が必ずいます。誰もいないとすればそれは初心者にはあまりおすすめできません。まずはＵ／Ｉターンで地元で生活する素晴らしい方たちとつながること、移住する前にしっかりと構築すること。それからでも全く遅くありません。

5 自己犠牲の地域事業をやめよう

地域の中での起業、事業再生が多様に期待されるようになっている一方で、結局中身をみたら行政予算頼みであったり、はたまた無理な内容で自己犠牲を強いられているだけであることが少なくありません。

事業プランコンペをやる暇があるのであれば、早く試作品をつくって世の中に投入したほうがよっぽどその実需がわかりますし、少なくともわずかであっても売上が立ちます。どれだけコンペで立派なプレゼンしても売上はゼロ。下手に予算をもらうと今度は使わなくていい「お金のかかる」事業を始めてしまって、せっかくの事業が駄目になることすらあります。

地域における事業再生も同様で、最初から無理な条件を強いられていて、その中で四苦八苦していて「どうしたらいいでしょうか」という相談を受けることがありますが、まずはやめてから考え直したほうがいい、ということも少なくありません。

「お金がない」と言う人ほど「お金がかかる」事業を始めたがる

地域で事業を起こすときに、「先立つものがない」という声が多く聞かれます。つまり「お金があるから事業が成功する」という幻想をもっていて、お金がないからできないというわけです。それは全くもって幻想、勘違いです。

もちろん、お金があれば簡単にできることもありますが、お金があるからと最初からだらだらと使ってしまってからその分を稼ぐのは大変なのです。

立派なレストランの投資回収よりも、商店街の極小空き店舗でつぼ焼き芋を冬季期間だけやったほうが規模は小さくても投資回収はすぐに終わります。お金がなければないなりのスケールを設計し、誰よりも早急に投資回収できる術を考えればいいだけです。また何より自分の手持ちでできることで挑戦を始め、それが小さくとも回れば、資金はあとから知り合いや銀行が投融資してくれるようになります。何もしていない人が「お金があればなー」なんていっていたら怖くて投資も融資もできません。

資本がないという人に限って、いきなり大規模なビルをリノベーションしてホテルを始めようとしたり、顧客が獲得できていない状況で大規模な厨房設備を整えようとしたり、改修費用がかかるまちの歴史的建造物を取り扱おうとしたりと、設備投資の必要な事業に挑戦しようとする人が、かなりの数います。

「お金がない」と言う人ほど、そもそも「お金がかかる」事業から始めようとしているところに問題があります。お金がないのであれば、ないなりの戦い方を選択すべきです。

たとえば私は、初めての地域では、以下のポイントを意識して仲間と事業に取り組みます。

初めての事業　4つの原則

①負債を伴う設備投資がないこと

借金したり投資家から資金を調達してまで、いきなり大規模な設備投資を伴う事業からスタートするのはリスクが高すぎます。たとえば、よく地方での事業案として挙げられるゲストハウスにしても、宿泊ビジネスは各地で注目され多くの人が参入している市場ですから、いきなり飛び込んでひどい宿をつくっても、見向きもされません。かといって、品質相応の安い宿代で商売するならば、投資回収期間が超長期になって儲かりません。設備を持つ前にできることはいくらでもあるわけで、宿が全国の地方に増加している今こそ、アクティビティ中心のビジネスに注力するほうが得策です。

②在庫がないこと

在庫を持つような特産品開発も、はっきり言ってナンセンスです。「モノからコトへ」と言われている時代に、いきなり在庫を抱える企画からスタートしたら玉砕します。

その前に、自ら持っているスキルを活かす場をつくることができますし、定期的に開かれる小規模なマーケットに出店し、売り切り前提からスタートする道だってありえるわけです。それなのに、なぜかいきなり通年での事業を前提として在庫を持とうとする事業者が多すぎます。同じ在庫を持つにせよ、最低でも試験販売的な取り組みは行ってからにすべきです。

③粗利率が高いこと（8割程度）

商売には、「最初は安く始め、後から高くしていく」という選択肢はありえません。最初から高いものは高いし、安いものはいつまでも安い。だからこそ製造工程から、自分にしかないスキルを提供することで付加価値を高め、粗利率が高い商売にしなければなりません。そうすれば、販売数や販売量にこだわらずとも、手元に残るお金は大きくなります。

ふつうの小売であれば、粗利率は2～3割と低い場合が多いですが、実際には粗利率8割を確保できるものに力を入れるべきです。どこでも買える、オリジナリティのないものを売ってはいけません。大手チェーンにはどうしたって販売力で勝てないからです。

④営業ルートが明確なこと

意外と軽視されているのが、営業です。

投資は、きちんと「誰にどういう形で営業し、月にどの程度の収入が得られるのか」を決めてからにするのが鉄則です。

それなのに、投資して、在庫も抱えながら、粗利も安い商売を始めるのにもかかわらず、営業先そのものが曖昧で、下手したら営業先ゼロの、目隠し運転に近い状況だったりするケースが後を絶ちません。それでは成功確率は低くなるのも当然です。

ビジネス分野では当たり前の話を、地域だからと変に歪めて始めるから成果が出ないのです。投資が限定的で在庫がなく、利益率が高くて定期課金可能な事業をしっかりやれば、基盤は作れます。何も、そんなに難しく考えることはありません。

まずは自己資金で小さく、すぐに始められる事業に取り掛かることから始めます。たとえば、地方にいって田畑を借りられそうなら、自分が都会に住んでいたときの友だちや親せきに産直で作物を、毎月定期課金で販売するだけでも、基盤収入は確保できます。

小さな事業を徐々に大きく育て、一定の成果を収めて信用力が出てくれば、地元金融機関も次なる事業には融資をしてくれたりします。仲間からも資金を集めやすくなります。にもかかわらず、人によっては何の実績も残していない地域で初めて事業に取り組むのに、大きな事業を構想し、「金融機関がお金を貸してくれない」と愚痴り、結局は役所にいって、補助金依存の事業に収まってしまう人がいます。これではどうにもなりません。

補助金を活用すると、商品サービスの改善や、顧客とのコミュニケーションに使うべき時間の多くを資料作り、報告などの無用なことに費やすことになり、短期的なお金は入るものの、中長期では次なる予算が必要になることばかりです。重要なのはもらうお金より、稼ぐお金。これは個別事業においても、地域全体の事業においても共通しています。

何事も営業が大切。営業先回りなのです。

しかし、意外とこれをできる人が少ない。新たなプロジェクトを立ち上げるときは常に「逆算開発」「先回り営業」が必須です。まず営業し、顧客が見えている状態で事業を始める。つまり、投資する前に営業しようということです。

クラウドファンディングで勘違いしている人がいるのは、初速は必ず自分の周りの人たちにリアルな営業をかけていくことで、知らない人も「あ、これ多くの人がサポートしてて面白そう」ということになります。自分で営業しなければ最初の支援をしてもらえるはずはありません。

また、カフェをやりたいなら、まずはスタンドのコーヒー店を週末のマーケットなどで出店してみる。固定客をそこで確保できたならば、固定費のかかる実店舗をオープンする、という順序でやれば、いきなり開業するよりは失敗の確率は劇的に減るわけです。

リノベーションしたシェア店舗を作る取り組みも同じです。

入居する事業者さんを募集、選抜して、家賃を決め、仮契約を終えて、彼らの意見なども踏まえながら最後に内装などに投資する。こうすれば、想定される家賃収入から全体の投資回収計画が組み立てやすいし、先に工事するよりも内装も入居者に寄り添ったものにできるわけです。しかし、実際には先に投資して、できあがったものを営業する流れになってしまっているものも少なくありません。

犠牲者精神は何も解決しない

事業で黒字を出し、さらに地域全体をよくするための事業に仕立てていくことは大変重要です。けれど無理なモデルの犠牲者に自分がなるというのは別の話です。どうにも「我慢をすればいつか成果がでる」という幻想を持っている人がいまだにいるのです。

右肩上がりの時代であれば最初は難しくても、爆発的に増加する需要でいつの間にかうまくいくこともありますが、今の地域プロジェクトにおいて最初に失敗したものがそのまま我慢して、いつの間にかうまくいくことは99%ありえません。調子の悪い組織に所属してしまった時も同じです。

犠牲者精神、潰れそうなものをそのままどうにか維持することに美学を見出してしまっている人を、今まで何名も見てきました。なかには最初から「それって無理ゲーだし、そもそもあなたが本気でやる必要なくない？」という課題もあるわけです。

その難題に変に燃える。けれど、実際には小手先でどうにかなるはずもありません。割に合わないことをいつまでも続けてしまい、疲弊して体を壊したり、精神をおかしくしてしまう人がいます。これは本当に不幸なことです。

とあるまちにある食品加工産直センターの再生プロジェクトが立ち上がった時のことです。経営が傾いているため、その再建に民間人を登用するとのことでした。採用された方は、かつて1億円ほどあった売上が6000万円になっている右肩下がりの状況にもかかわらず、「売上を毎年10％ずつ改善する」ことを求められていました。

しかし、組織は案の定補助金漬けで、営業努力なんてまったく考えていない。トップは、何をやるのも「お金はないから役所から出してもらわないといけない」という話しかしない。働いているのも、おばあちゃんばかりで、年金もらっている片手間のパートのため、当然無理がきかない。

その状況で民間人が1人採用されても、どうにもなりません。人も減る、競争も激化する中で、稼ぐ気のないトップと、働く気がない従業員をそのままにして、毎年10％の売上改善を実現することは困難です。

せっかくその立場についたのだから「どうにかしたい」という気持ちはわかるのですが、貴重な人生の時間、縁もゆかりもなく、かといって本気で現状を変える気もない組織で奮闘するのはあまりにも悲惨です。もしその地域をどうにかしたいのであれば、その組織で犠牲者になるより、別の組織を立ち上げて、利益がちゃんと出るように事業を回し、その様子を見せるほうが余程ためになるでしょう。

組織の維持を目的化し、「仕組み」の犠牲者になってしまわないように、無理だと思うものは全力で回避して、どうにか成果を出すための取り組みに向けて力を使ってほしいのです。

このように「外の人」を入れる上では地域側にもそれなりの準備が必要です。さらに入り込む「外の人」にも、地域貢献に対する矜持は持ちながらも、駄目な時の割り切りも必要になります。幻想頼みにいくと、地域側の準備も、入り込む人の事前の調査もいい加減なまま、双方にとって残念な結果になります。幻想を振り払い、しっかり現実と向き合い、地域と「外の人」との良好な関係を構築することが大切です。

第5章

まちづくり幻想を振り払え！

地域において、間違いを引き起こす「まちづくり幻想」。

本書で触れてきた「幻想」の多くは「過去の古い常識」であったり、「そもそも間違った噂」であったり、「そうあってほしいという願望」であったりしました。何らかの責任回避をしたい時、辛い状況を打開するシナリオを考える時など、ストレスがかかった状態にあると、人はどうしても幻想にすがりたくなります。

しかしながら、幻想はいずれも今の時代においては現実ではないことばかり。現実と幻想の乖離がプロジェクトを失敗させ、地域から人を排斥させてしまい、地域がより苦しい状況に陥るのを自ら引き起こしているのです。

「幻想」と「現実」を取り違えないこと。これが地域プロジェクトにおける極めて重要なことです。ここさえ押さえれば、判断も正確になり、ヒト・モノ・カネが集まり、事業が前に進み始めます。

「まちづくり幻想」は常に我々の内にある

「まちづくり幻想」とは、誰から与えられるものではなく、常に我々の内にあるものです。他人のせいにしても仕方ありません。ですから、自分たちが共有している常識や理解、噂や希望的観測が幻想ではないか、常に問い直すことが必要です。そのような根本の見直しをせずに、小手先の方法論ではどうにもなりません。

多くの地域は「そんなこと言ったら元も子もない」と取り合わず、過去の計画を推し進めてしまいます。責任を取りたくない意思決定者、「みんなが言っているならそれでいい」という個人が集まった集団は、間違いを認めずに撤退もできず、ダラダラ続けてしまいます。先送りすれば誰かがどうにかしてくれる、という幻想を信じているのです。

しかし、間違ったことでも継続すると「そういうものだ」という誤った理解が広がり、もう「やめられない、止まらない」の世界に入っていきます。本書でも触れた夕張市の粉飾決算は典型で、それを明らかにすると自分の立場がなくなるばかりか、先輩たちも責任に問われてしまうかもしれない、と組織ぐるみで隠蔽に走りました。そして暴走特急のように破綻までいってしまいました。ツケは今の世代が払っています。

都合のいい情報を信じ、誰からも嫌われたくないというのは心情的にわかりますが、それによって子供たち、孫たちの未来が失われるのです。そこで、どう行動するかは私たち自身次第なのです。

先を行く地域は「過去の幻想」ではなく「未来への夢」を見ている

先を行く地域と、そうでない地域の圧倒的な違いは、話を聞くとすぐにわかります。幻想を引きずり、停滞する地域にいくとすぐにわかるのは、話のほとんどが「昔話」です。昔は渡し船があったから宿場町として栄えた、明治維新以降の工業化の中心として栄えた、自動車を持っていなかった時代から周りに住んでて商売がうまくいった、などなど過去の話ばかりなのです。中には古墳が、旧石器時代に……まで遡ることすらあります。

一方、先を行く地域の人は圧倒的に「未来の話」をします。

自分たちはこれからどうなると予想していて、それに対して何をしているのか、という話をします。過去や問題を語ることは簡単なのですが、未来の夢を語るのは、普段からそういう話をしている人でないと難しいのです。夢には、自分たちの主体的な考えがあり、しかも動機づけがなされているものでないと伝わりません。どうにかして、それを実現するために、チャンスを作ろうとしています。つまり、話が適切な協力者を形成していくためになされているのです。

彼らはすでに動き出していて、自分たちでお金を出し合い、小さなチームを形成しています。行政の中にも、理解者と協力する人がいて、具体的なアクションをしています。このような地域であれば、縁もゆかりもない人であっても「何か一緒に仕掛けてみたいな」という気になってくるものです。

結局のところ、幻想に囚われたまま、問題の指摘と文句しか言わない地域にはヒト・モノ・カネは集まらず、幻想をさっさと捨てて、現実と向き合い、未来に向けたアクションをしていく地域にヒト・モノ・カネが集まっていくのです。

2020年秋に訪れた、兵庫県たつの市の龍野エリアも非常に面白い地域でした。白醤油発祥の地であり、そうめんの産地、そして皮革産業も有名なこのエリアは、名士たちが作った歴史的な大型木造建築が多く残り、近年、重要伝統的建造物群保存地区としても指定されました。

これだけだと、全国どこにでもある「昔すごかった自慢」しかないまちになりがちです。が、そうではなく、この町ではその使われない歴史的建造物を自分たちで出資した会社で買い取って再生し、新たなオーナーに売却するなど、エリア全体での運用を立ち上げて、すでにこの5年ほどで20件以上の再生実績を持っています。その他パートナーである会社による再生案件も含めれば、地域の変化としてはかなりのハイペースです。

コロナ禍が比較的落ち着いた時期で、平日のど真ん中ではありましたが、屋外中心のプログラムとしての「まち歩き勉強会」を現地で開催、全国から多くの参加がありました。民間出資のまちづくり会社「緑葉社」でトップを務める、畑本康介さんの巧みな説明に、参加者もあっという間に興味津々になっていました。また、今後どのように発展させたいか、ボトルネックは何か、もっとできるのではないか、といった議論も非常に充実したものになりました。私もすっかりその魅力にハマり、事業への協力を約束しました。


昔話ではまちは変わりません。

地域に問われているのは今、そして未来なのです。

今すごいと言われている地域も、数年前、数十年前に夢を描いて挑戦をした人がいたからこそ、実現されています。地域の未来を描き、今何をすべきか行動している地域だけが前に進んでいるのです。

日々の「個」としての選択が、まちの未来を作り出す

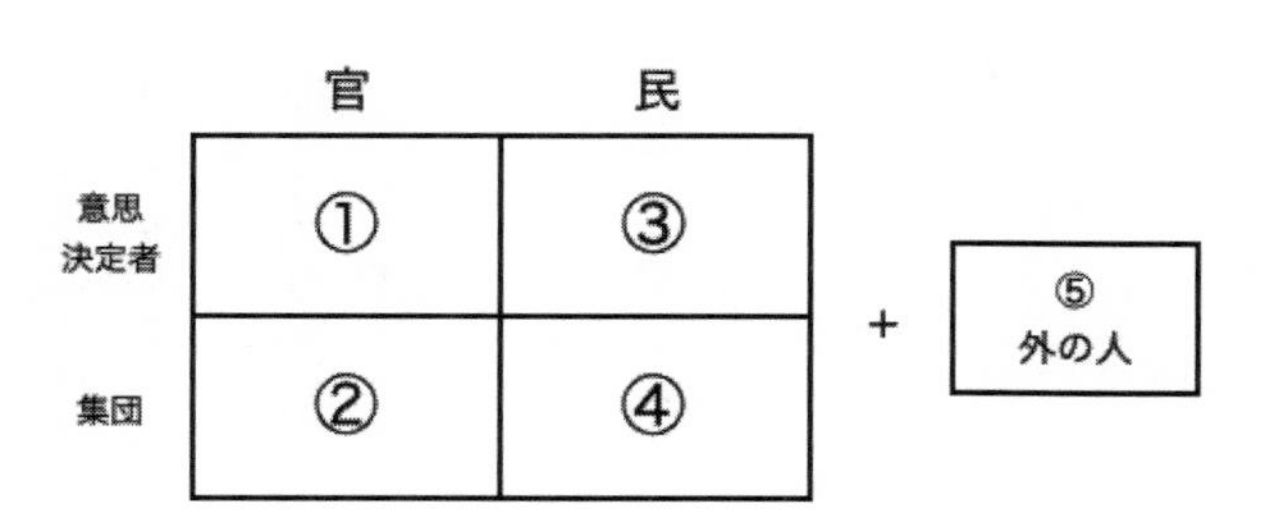

地域の未来は、最後は「個」としての行動の蓄積によって形成されます。

本書でも指摘してきた幻想問題も、責任回避をしたり、不勉強だったりといった、個としての問題に端を発しています。集団としての問題も、恨まれたくない、違うものは許せないといったような個の意識の蓄積で圧力が形成されています。誰のせいでもありません。我々、それぞれの意識、行動が全てを形成しているのです。

幻想に囚われるのは個であり、幻想を打ち破るのもまた個なのです。

そこで最終章となる本章では、これまで整理してきた「幻想」とそれを打ち破ってきた地域の内容をもとにして、我々が「個」としてできることを冒頭に示した５つの属性に基づいて解説していきます。

幻想を振り払うための「12のアクション」

地域における幻想については、あまりに多くの要素があるため、５つの属性にわけました。

属性は、行政の意思決定者、そこに所属する集団、地元の民間側の意思決定者、企業や地縁組織など多様な集団としました。さらにそこに「外の人」も存在しています。

読者の方もこのいずれか、もしくは複数に所属されているかと思います。それぞれのシーンにおいて、幻想に取り込まれず、振り払うために必要なアクションについて触れていきます。

1 官×意思決定者が「役所」ですべきこと、「地域」ですべきこと

アクション1　外注よりも職員育成

地域における幻想を振り払う上で、行政の果たす役割は大きいものです。行政予算の活用だけでなく、基礎教育を受けた膨大な人材リソースを保有しているのが自治体だからです。

地域内で人材を適材適所に活用できれば、様々な課題も解決できるのですが、むしろ予算や事業ありきで、人材のモチベーションを引き上げたり、スキルアップさせたりする計画的な研修が不足しているのが現状です。計画から事業の執行までを単に外注するだけでは、プロジェクトが成功するはずはありません。多額の予算があり、有名な外の人に任せればよいという幻想に囚われている限りは、成果が生まれないのです。

幻想に組織が侵されないために、可能な限り、行政は「自前主義」を取り戻し、委託事業などの予算を管理した上で、人材投資に切り替える必要があります。同時に総合計画など必要な基本計画などは絶対に自前策定すべきです。東京の外部コンサルにまかせ

て、どこも同じような計画案を組み立ててもらうのでは、地域の未来を描くのには不十分です。必要な知識や経験を若手職員に積ませて自前策定をしていくことが必要です。

アクション2　地域に向けても教育投資が必要

行政内だけでなく、地域における投資先としても教育は非常に重要です。

現状の日本の公教育投資の問題の本質は、今の日本の一人あたり教育への公的支出がＯＥＣＤ最下位にありながら、実際の教育支出は、ＯＥＣＤ平均より高いという歪んだ構造です。つまり公的支出ではなく、家庭の所得や個人の奨学金などの借金によって、一人あたり支出が埋められていることなのです。

働く世帯が、社会保険などで高齢者向けの負担をしながら、次なる世代の子供たちの投資も同時に行うことに耐えられなくなったとき、日本の一人あたり教育支出そのものが平均を割ってしまうこともありえます。そうなると、もはや未来がありません。

世界的にみても、教育充実地域はファミリー層の居住選択地域として選ばれる有力な動機です。アメリカ・ニュージャージー州ウエストフィールドの中心部再生は、まずは地元公立学校再生からスタートしています。まちの商業再生のプロジェクトなのに、周辺にファミリー向け住宅の空き家ばかりだったことから、教育の良いエリアへと変化させ、教育目的の人たちに住んでもらい、商店街で回収するというシナリオです。補修など含めた教育プログラム改革に積極的に投資したことが大成功し、地元の公立学校教育水準が州内でもトップレベルになり、ファミリー向け住宅にも人が戻ってきたのです。そのうえで商店街の店舗の入れ替え、リノベーションを展開して商業再生も成し遂げました。

今であれば、オンライン教育の選択肢もあります。通信制で学ぶことができる独自のカリキュラムを持つ、ネット通信高校・学校法人角川ドワンゴ学園が運営する「N高」は設立後４年で１．５万人の生徒数へと成長しています。北海道だけで数百人の生徒が所属するのをみても、地方における教育選択肢を広げる必要性を感じます。私もN高の地域連携プログラムをサポートしていますが、N高生たちは地域活性化などにも非常に関心が高いのです。

何より健全な意思決定を地域全体で民主的に行うためには、最低限の教育レベルが担保されることは不可欠です。行政のみならず、議会などがまともに機能するためには、地元有権者も含めて教育ラインを引き上げていかなければ、地域の問題を自分たちで考えることは困難になってしまいます。健全な議会、機動的な行政機構を作るためにも、地域向け教育投資は極めて大切なのです。なぜ全国各地の藩が藩校を作り、地域それぞれで独自の教育を行ったのか。今でも長岡藩の米百俵が褒められるのか。自治体こそ国任せにしない、独自の教育投資が求められる時代になっていると思います。

アクション3　役所ももらうだけでなく、稼ぐ仕掛けと新たな目的を作る

「役所が稼ぐのはよいことではない」というのも幻想です。

意思決定者たちこそ、経営者として目を覚ます時です。必要な資金を稼ぎ、公共として投資を続けていかなくてはなりません。

稼ぐのはあくまで手段なのです。

国土交通省の調べによれば、国内不動産のうち民間保有が４７０兆円、国や自治体が保有する公的不動産は５７０兆円と言われています。うち、地方公共団体が持つ公的不動産は４２０兆円に上ります。

これまではこの膨大な不動産を税金で維持するだけで終わっていたわけです。このな

かから、一部でも運用する姿勢に変わるだけでも、地域のあり方は変わります。自治体の意思決定層こそ、経費のかかるものを購入する「貧乏父さん」の思想から、稼ぐ資産に投資していく「金持ち父さん」の思想に転換する必要があります。

そして稼いだ資金で、地域に必要な独自の公的教育支出や、低所得者世帯支援といった公共で下支えしていく政策予算にする必要があります。

国内でも地方都市中心部では公的不動産の活用を進める取り組みが少しずつですが進展しています。公園内を活用してカフェやショップ出店などを行い、それによって公園維持管理費を捻出する取り組みなども広がっています。

ただし、稼ぐのはあくまで「手段」です。しかし昨今、この手の稼ぎに注目する自治体の意思決定層の一部は、民間企業経営者以上に稼ぐことだけを過剰に志向し、「地域のどの公共投資のために稼いでいるのか」という目的性が低い場合もあります。

役所が稼ぐのはよくないという幻想を振り払ったら、次は単に稼ぐことだけを志向すればいいと極端な方向にいってしまう。これもまた別の幻想です。

行政の収入しか見なくなると、せっかくの素晴らしい立地の公園に、家賃が高い、実績があるという理由だけで、どこにでもあるチェーン店のカフェを誘致して終わってしまう場合も出てきています。地域全体の経営を考えれば、地元資本の店の育成の場としても活用しなければ、チェーンストアの本社に地域の消費を送金するだけのロードサイド開発と同じことになりかねません。大きな地域経営の視点を持ちながら、公的不動産の活用をしなければならないのです。

そもそも、稼ぎ、公的サービスを維持していくスタイルは、明治時代から日本には存在していました。代表例は日比谷公園ですが、当時は、西洋にある「公園」なるよくわからないものを税金で作ることが議論になるほどの時代で、まともな予算は下りなかったといいます。そのため、日比谷公園には稼ぐためのテナントとして松本楼などの飲食店が入り、その後に寄付された公会堂や野音などが存在しています。その他の公園でも、レンタルボートなどの乗り物があるのも元々公園予算を稼ぐためだったといいます。

役所が稼ぎ、必要な公共サービスを維持していく仕掛けを作り出すことは、特段、新しいことではないのです。ある意味では、戦後の恵まれた時代に退化してしまった能力とも言えるでしょう。行政の意思決定層は、そのような戦後の一時期に形成された幻想から脱却し、未来に向けた行動をとる時にきています。

2 官×組織集団「自分の顔を持ち、組織の仕事につなげる」

仕事柄、私は多くの自治体職員の方とお会いします。私の発信は、公務員の方には厳しいととらえられがちなのですが、そんなことはなく、本気で挑戦する公務員の方々とは熱心な議論を行います。都市経営プロフェッショナルスクールにも多くのやる気ある自治体職員の方が来られ、卒業後に自ら挑戦をされて成果を挙げるのをみていると、制約の多い行政の組織の中に身を置く人でも、十分に活躍ができる時代になってきたのだと実感します。

地域を変えるため、支えるために公務員になったけれど、役所では何もできないと諦める前に、できることは多々あります。

アクション4　役所の外に出て、自分の顔を持とう

様々な企画を実現し、成果を挙げる公務員と、そうではない公務員との差として決定的なのは、外部に持つリソースの差です。もちろん組織内での信頼、行政組織としての

制度などに対する知識が備わっていることは基本としつつも、やはりそこから先、何かを具現化する上では地域における様々な方に協力してもらわなければ、予算があったとしても形になりません。

同時に、予算も限られる昨今、自分が言えば協力してくれる地元内外の仲間をしっかり持っていないと、大きな動きは作れません。

前述した通り、仕事においては「何をやるか」よりも「誰とやるか」が極めて大切であり、それを重要視している人が多いからです。つまり、何をやるかをいかに精緻にしても、信頼にたる人物として組織内・外から認められないと、物事は動かないのです。

公務員は役所という職場内で仕事は完結するものだ、という幻想を捨てているかどうかで、大きく違ってきます。

役所内で完結する仕事をしている人は、自費で地元のまちや他のまちに出ていって人間関係を構築し、地域の有り様を体感的に理解できていません。自宅と役所の往復だけで、外にある世界に出ていかないので、地域で話題のお店や、その経営者との付き合いなどがありません。生活が職場で完結してしまうと、そういう情報にも疎くなってしまいます。

結果として、予算をつけての入札でお金をもらいにくる、正直に言って、レベルの低い民間ばかりと付き合ってしまいます。下手にまちに出て、「仕事くれくれ民間」と付き合ってしまうと、癒着ではないかと組織内で疑われる危機感もあり、さらに内にこもってしまう悪循環を繰り返しています。こうなると、悪質な行政予算目的の民間しか使えなくなってしまい、機動力が一気に低下してしまいます。

地域活性化事業でどれだけ予算をつけても、内向き完結型公務員の方々が、ヤバい民間人にお金を流してしまうと、結局ダメになってしまう。そして内向き公務員の方は「うちにはいい民間がいない」と嘆く。いないのではない。知らないだけなのです。

一方で、優れたプロジェクトで成果を挙げられる人は何をしているか。自分たちで時間を作って、地元に出ていく。学びになる機会があれば自費で学びに出る。するとどんどん外の人との出会いもできます。本気で動く人に官民の隔たりはなくなり、一人の人間として「顔」ができていくのです。

すると、見えざる資産がどんどん積み上がり、企画する時に「あなたがやるなら協力するよ」という人が現れる。こうなると、予算で人を集めるものとは段違いによいプロジェクトになっていきます。日頃積み上げてきたその人の「顔」によって皆が動く。ある意味で、プライスレスの世界です。

仕事は役所内で完結するという幻想を振り払うため、アクションを起こすことが大切です。これが当たり前だと思っていることのうち、一つでも変えていきましょう。

まずは朝起きて自宅を出る時間を変える。同時に、役所まで行く道も変える。帰りに、どこか一カ所でいいから寄り道をしてみる。知らないまちの人に、何の目的もなく挨拶をしてみる。それを一年もやれば、やらない人との差は大きくなります。

都市経営プロフェッショナルスクールのOB・OGでも、まず地元に戻り、地域で開催されるマーケットに自ら出店する人がいます。地元の農作物などの販売を手伝ったり、その収入を地元の福祉施設やNPO法人に寄付します。小商いは事業の基本なのでお金の流れが手にとるようにわかる非常によい経験です。そのうちに、地域の余った行政所有の公的不動産を活用し、自前開催の週末マーケットや夏のナイトマーケットを開催して、より多くの人を巻き込んで、地域での経済循環を作りながら、役所としての新たな稼ぎを作り出す人もいます。

役所内完結幻想を振り払い、まちに出ていきましょう。

アクション5　役所内の「仕事」に外の力を使おう

しかしながら、単に外であれこれと活躍しても、やはり行政に所属している一人として重要なのは「役所にしかできないこと」を通じた地域への貢献です。

小さな取り組みは大切ですし、個人として顔を持つことも重要ですが、これらはあくまで手段です。それらを役所内の仕事にどれだけつなげていけるか、が大切。手段がいつの間にか目的になってしまう人もいますので、そこは要注意。組織内の仕事をまともにせずに、単に楽しいからと外に出てお祭り騒ぎしているだけでは、組織内はもとより、いずれ外の人たちからも信頼を失います。それではあまりにもったいないです。

もちろん人事異動は役所にはつきものですから、「やろうと思ったら担当する部署から異動してしまった」という人は多々います。ただこれは考えようで、ものごとを俯瞰して見て、新たな部署で、仕掛ける内容を考えればよいのです。

とある私の知人の自治体職員の方は、地域で文化芸術に高い関心を持ち2枚目の名刺をもってボランティアで地域のアートギャラリーをつなげた企画を立ち上げたり、広報の経験をもとに地域内アートイベントのプレスリリースの手伝いをされたりしていました。次第に、それらの企画は地域内でも高く評価されるようになりました。並行して、組織での仕事も着々とこなしているうちに、自治体の文化芸術関連の財団に異動することになり、これまでの私的な取り組みが、本業に大いに役立つタイミングが到来しました。見る人はしっかり見てくれていたのでしょう。

このように幻想頼みでやり過ごすのではなく、組織内外のネットワークを形成し、しかるべきタイミングに向けて、自らアクションをとる人が公務員の中にも続々と出てきています。

ここで、挑戦する公務員の敵は、実はやる気のない公務員であったりします。身内が一番怖いものです。頑張っていると「あいつは民間と怪しいつながりがある」なんてよくわからない話が出て「ほどほどにしとけよ」と上司から言われるなんてことも少なくありません。そうことがあると滅入ってしまい、やっぱり「公務員は役所の内で完結するのが良い」という幻想に立ち戻りたくなるかもしれません。

しかし、もはや役所自体のあり方が今まで通りにはいかない時代になっています。素晴らしい首長も各地に現れ始めている昨今、変化を興していく側に回る公務員の人たちも全国でつながり、たくましく挑戦を続けています。積極的なトップと挑戦する公務員が多い地域とそうでない地域とでは、コロナ禍の対策も差がついていくでしょう。

3 民間×意思決定層「自分が柵を断ち切る勇気」と「多様寛容な仕事作り」

地域における民間は地縁組織などの団体と、地域内の経済を担う企業といった大きく２つにわけられます。

集団圧力によって非常に偏った価値観が共有されたり、新たなものを排除したりした結果、その地域が先細ってしまうことは、昔から起きていたことでもあります。地域内の「みんな」で決めても、それは社会全体の「みんな」ではありませんし、限られたグループとしての正義を振りかざせば、その他の人は近寄れなくなってしまいます。

地域で団結しよう、一枚岩になって頑張ろうという掛け声は一見すればいいことに見えますが、それは幻想であり、集団意思決定は、時に大きな間違いを犯す集団浅慮に陥ったり、異なる人を排除する側面を強くするものでもあると、本書では説明してきました。

アクション6　既存組織で無理ならば、新たな組織を作るべし

これを打開する方法は、異分子をいかに意識的に取り込むか、にあります。地域の取り組みにおいても、地元のいつも同じのえらい人だけでなく、外の人を効果的に取り込む仕掛けを作れるかどうかが問われています。

今はインターネットが発達しているため、子育て世代であっても自宅から会議に参加することは可能ですし、地元の会議であっても外の人に入ってもらうことは容易になっています。

とはいえ、既存組織でそのようなことを言ったら反発が強い、そんな意見も多くあります。超高齢社会の日本において、今の各地域組織の会長クラスも、地元ではまだまだ若手ということがあるのです。60代の会長の上には、歴代会長がまだ生きていて「俺の目の黒いうちは好き勝手させんぞ」なんて言い張ってしまい、会長は歴代会長様の顔色をうかがって行動をとる、なんて笑えない話もあったりします。全員一致でなくてはならない幻想がありますから、何も物事が決まらない、動かないことでしびれを切らす人たちもいます。

愛知県春日井市勝川で進めているプロジェクトでは、7年前に向こう10年で9割の店が閉めると回答した商店街で、高齢世代も含めて意思決定層が既存組織とは別に会社組織を作り、出資し、自分の信用で融資も引いてきてプロジェクトを行っています。

そこに外の人である私も参画し、地元の若手である建築、工務店なども協力、飲食店、塾、コワーキング、フィットネスジムなど幅広い事業者が出店、この6年ほどでおよそ20の新規出店があるエリアになっています。

特に女性経営者が数多く出店してくれており、従来から地元が抱えていた構造問題の変化につながり始めています。信用ある高齢の方々が投資し、若手や女性が中心となって動き、まちの変化を作り出すわけです。

今の意思決定者であっても、地縁組織などでは全体の理解を得る前提で全くもって組織的に動けないのであれば、別の組織を立てて動くのも手です。立場ある人は既存組織の文句をいうよりも、できる行動をとることが、幻想を引きずって何もしないままより、地域の未来に貢献することになります。

アクション7　地域企業のトップが逃げずに地域の未来を作ろう

人口減少社会と言われると内需がしぼみ、もうお先真っ暗のように思われがちですが、実際にはいきなり人口がゼロになるわけでもなく、地方経済も内需はマイナス傾向とはいえそれなりの規模が継続します。輸出型の農林水産業といった視点までいけば、地域の資源を基礎にして他地域、海外まで市場化して稼ぎ、少人口・高付加価値で成立する欧州の地方都市のようなモデルもあり得るので、決して絶望的ではないのです。

つまり人口減少になったらもう地方経済は終わり、というのは幻想です。国破れて山河ありではないですが、自治体の経営が傾いたとしても、結果として山も川も田畑も、海もそこには存在し続けるのであり、未来に向けた可能性が全くなくなるわけでもありません。そこには入り込む余地があり、成長戦略もまた描けるのです。

地域意思決定者の中には、極端に悲観的な予測と、まちのことは民間ではなく行政の仕事だという幻想に支配され、自分たちの資産を次々と売却し、東京などの投資物件に置き換える人も増加しています。地元の資産家たちが地元に投資せず、資産を売払い、外に投資をすれば個人としてはプラスかもしれませんが、地域の衰退はさらに極まるでしょう。かつての大地主が地元に投資したり、住民たちのために社会保障に近い支援をしていたことと比較すれば、大きな違いです。もちろん個人の判断としては正しいですので、それはそれでよいのですが、積極的な上向きの未来は民間にしか担えない部分ですから、民間の意思決定者が諦めてしまうと相当に厳しいでしょう。

一方で、地元に積極的に投資を続ける経営者もいます。その一つが新潟県上越市で2022年に創業100年を迎える、大島グループというローカル・コングロマリットです。グループ会社が23、従業員数1500名、売上高も約100億円という企業グループです。地域における新聞社からケーブルテレビ、塾、旅行代理店、薬局、酒蔵、老舗料亭まで異業種が集まっています。その中には元々の経営では立ち行かなくなった企業をグループ傘下におさめて、再生しているものも多く存在しています。それぞれで独立採算を貫くというポリシーで経営がなされており、地域にこのようなローカル・コングロマリットができるのは、地域経営においても重要です。

このような企業があることで、人々の日常生活の基盤が守られ、さらに地元にUターンする先が形成されていることでもあり、やはり地方における基盤の一つは、民間企業の存在であると思わされます。地域における民間企業経営者だからこそできる地域活性化は、事業を通じた貢献なのです。

本書で説明してきたように、地方において積極的に採用をすすめる企業は、職種や業務内容を見直したり、魅力的な社宅を整備して、福利厚生を充実させる、副業などの自由を認めることで都市部からの採用につなげています。

若者や女性をこき使う精神から脱却し、魅力的な「働きたい」と思える職場つくりが地域の成長につながっているのです。経営者たちがまちの未来を諦めず、今の若者たちが働きたい仕事を作ること、職場環境を変えることもまた、自治体による移住・定住促進の政策だけでは無理なのです。地域にいる民間意思決定者である経営者にこそできることが山ほどあります。

4

民間×集団「地元消費と投資、小さな一歩がまちを変える」

民間側の様々な組織、企業に属する人たちは、実は地元で最も大きな構成員であり、この層がどう動くか、はとても重要なことです。ここの層が集団圧力に甘んじて適当なことをやっていると、地域の議会もいい加減になり、積極的な動きが起こしにくくなります。先に述べたように、行政組織内で動こうとする公務員がいたとしても、地元の民間側の助けがとても大切です。政治行政も地元次第なのです。

官民横断のキャッチボールによって、地域の特徴的な事業は作られるため、むしろ民間が積極的で、行政側を突き動かすくらいがちょうどいいでしょう。それは意思決定者たちだけでなく、日々まちで生活し、現場を回し集団を形成している「個」にこそ期待されるところでもあります。

しかしながら、自分はそういう立場にないからできることはない、静かにしているのが得だ、という幻想を抱えていると、いつの間にか自分たちが住みにくい地域が出来上がってしまいます。

アクション8　バイローカルとインベストローカルを徹底しよう

地域内消費を、バイローカルとして近隣の地元資本のお店にいって普通に買い物するだけでも、地域内に流れるお金は違います。

あるアメリカの中小企業調査では、チェーンストアであれば地元に落ちるお金は売上の2〜4割程度である一方で、地元店舗は実に5〜7割が地元に落ちる調査もあるのです。さらに地域経済循環構造で解説したように、地域内では地元資本を持つ人たちがお金を出し合い、地元事業に投融資することはとても大切な動きです。

大阪府阿倍野の南エリアなどを中心にして「BUY LOCAL」の取り組みがあります。地元出店者同士がつながりながら、地元に生活する人たちで地元のお店を紹介しあったり、バイローカルマーケットという地元の店が出店するマーケット企画をしたりしています。面白いのはお客さんとお店の付き合いというだけでなく、お店同士の付き合いを重ねているところです。どうしても店舗経営をしていると忙しいので、互いの店には行けなかったりするのですが、イベントの時だけは互いの店の商品やメニューを食べたりもできるということで関係が深くなる取り組みになっています。

さらにアップデートされていくバイローカルなお店のマップは、リアルなお店にいかないと手に入らないのです。ネット時代全盛期だからこそ、ローカルはローカルの人たちだけで楽しめる工夫が光ります。このような仕掛けは地元消費を拡大し、地域内経済も強くしていくことになっています。

残念ながら、今は地元金融機関に預けるだけでは金利もほぼゼロ、資本所得を得ることは実質的に不可能です。手持ち資金を一部地域内に投資するのは意識的に行動する必要があります。今はクラウドファンディングもあり、投資型、融資型は急成長を遂げています。地域内の新たな挑戦に対して投融資をする機会も昔よりは得られやすくなっています。

消費と投資行動をもって地域に貢献できる機会は多様にあります。それぞれの金額は小さくとも、積み上げていけば大きくなり、複利で回っていくと馬鹿にできない金額になっていきます。

アクション9　一住民が主体的にアクションを起こすと地域は変わる

まちが変化するのは、大きな開発が行われる時だけでなく、小さな拠点が一つできることから始まったりします。小さな動きをやったって何も変わらない、というのは幻想です。

千葉県流山市でまちづくり拠点・machiminを運営する手塚純子さんも、リクルート出身で人事領域を専門にする方ですが、出産を契機に流山に住み、その中で地域にある問題に気づきました。そこから、まちの空きスペースを借りて拠点を作り、まちの人たちの活躍できる場として、地域内の様々な方の力を結集させています。子育て中だからできない、ではなく子育てをしているからこそ、地域に足りないものを提供できることを教えてくれる取り組みです。

彼女は、もともと流山でもかつて栄えていたエリアの空き倉庫となっていたところを借りて、知り合いたちとのＤＩＹで改装、皆が集まれる場所作りからスタートしました。有名なみりんを活用したレシピを開発した、「本みりん研究所」を進めていったら、地元のみりんメーカーもサポートを始めたりと、支援があってから始めるのではなく、まずは始めてしまい、サポートがついてくる方式。仕掛ける前にあれこれと考えるのではなく、身軽なアクションが次のステップを作り出してくれるのです。

消費にしても、投資にしても、自ら始める企画にしても、大きな事業である必要はないのです。小さな取り組みを積み重ねれば、大きな地域の変化につながる。積小為大、小さな一歩をないがしろにしなければ、一人の住民がまちに影響を与えることは大いにあるのです。

5

外の人　地元ではない強みとスキルを生かし、リスクを共有しよう

外から地域に関わる時にも様々な幻想に惑わされ、うまくいかないことは多くあります。一方で、よくも悪くも地元の濃密な人間関係を抱えていないからこそできる役回りも存在します。その持ち味を出さなくては、外の人として地域に関わっていくことの意味は半減します。地域の幻想論理から一線を引きながら、挑戦するために必要な要件を意識して取り組む必要があります。

アクション10　リスクを共有し、地元ではないからこそのポジションを持つ

まず外の人として、地域プロジェクトに対して一定のリスクを共有することです。本書でも触れましたが、外の人で最悪のパターンは地域の予算に依存し、ノンリスクで納品だけして対価をもらっていなくなる、クソコンサルの存在です。地域内資本で行われるのが基本ですが、ともあれプロジェクトは失敗することもありますので、そのリスクについては外の人であっても共有しておくのが基本です。

またお金に関しては成功しても、失敗しても揉めますから、外の人ほどちゃんとしておくべきです。どれだけ威勢のいいことを言っても、お金に対してルーズな人は信用されません。

その上で、地元ではないからこそのポジション、つまり、時に憎まれ役になるようなことも必要です。地域内では集団圧力、地域内ヒエラルキーで皆が言いたくても言えないようなシーンにどうしても直面することがあります。この時、一番に声を挙げられるのは外の人なのです。その時にリスクを共有し、日頃きちんとした取引をしていれば、「地元の人間でもない人間が投資し、共に取り組んでいるのに、地元の人間として恥ずかしくないのか」という話ができます。

そのような引き締めがあることによって、幻想に流され、意思決定がめちゃくちゃになることをかなり防げます。時に恨まれ役になることも外の人の役割なのです。重要なのは表面的な付き合いで好かれることではなく、信頼を日々の行動で積み上げ、プロジェクトの成果に徹することです。

アクション11　場所を問わない手に職をつけよう

地域おこし協力隊のみならず、外の人は一定のプロフェッショナルとしての役割を持つことが大切です。地域に関わる時に何ができるのか。具体的なスキルを持ち、一定の提案ができる動き方ができないと、すでに地域にある仕事をそのまま引き受けるだけになってしまいます。

北海道余市町でレストランやジェラテリアを自ら経営しながらワイン用葡萄栽培にも取り組む相馬慎吾さんも、元々飲食畑からIターンで余市に入り、活躍しています。当初はレストランの従業員として入ったものの、この地域の可能性を感じ、元オーナーから店や農地を買い取り、自らオーナーとなることで挑戦している人物です。

私も縁があり余市町を訪ねた際に、相馬さんとお会いし様々な夢を聞きました。余市は今、非常に評価の高いワイナリーが集積し、成長しています。2021年には相馬さんの畑でできた葡萄を活用し、地元の有名ワイナリーとコラボしたオリジナルワインの生産、販売などの企画を共に進めています。

「手に職」というのは高度な技術だけではなく、地域に関わる「フック」です。それがないと「何ができるのか」が明瞭にならず、地域で誰も引き受け手がなくなったような仕事を押し付けられてしまいます。地域は、そういう生産性の低い仕事を若者に押し付けてきたから衰退しているわけで、その被害者の一人に外の人がなっても全く意味はないのです。若いやつはそういう仕事をするのが当たり前、という幻想の犠牲者にならないためにも、自分なりにできる手に職の領域をどんなものでも作っておく必要があります。まずは自分が動き、覚えていくことが大切です。

あとはそれを活かす覚悟があれば、相馬さんのような挑戦者が外からでも入り、地域に変化を作り出します。

アクション12　先駆者のいる地域にまずは関わろう

どんな地域から関わったらいいでしょうか、移住も検討しているのですが、どこがいいでしょうかと質問をもらうことがありますが、外の人としては２つの原則があると思います。一つはいきなり移住しないこと、もう一つは先行者がいるところをまずは選ぶこと、です。

まず地域との間では相性があります。

本書で指摘してきたような意思決定層も、その組織や地域を構成する集団も、それぞれにカラーがあり、幻想頼みになっているかどうか、違いがかなり大きくあります。自分が持っているスキルを活かし、そもそも性格的に合う人と出会えるかどうかも、実際に関わってみないとわかりません。それを中途半端なまま、今の仕事もやめて飛び込んでしまうと、もはや身動きがとれなくなります。自由が利かなくなってしまい、何のために関わったのかすら、わからなくなることも多くあります。

また、地域においても受け入れの態勢や準備がありますので、少なくともめぼしいU、Iターンとして地域に先に入っている方と縁を持つことです。そうすれば、その地域がどのような動き方をしているかもわかるし、自分が役立つかどうかも見えてきます。

入ってからは共に取り組んでくれる地元の人の信用を大切にして、第三者からあれこれと言われても気にしないことです。元々地元の人間ではないことをもとにあれこれと言われることはつきものですが、それも時間と共に変わっていきます。私も10年、15年と長く関わる地域、知り合いも各地にいますが、やはり時間と共に信頼の蓄積はあるものです。そこは急がずに積み上げていければよいと思います。一足飛びに成果を急ぐとろくなことになりません。

まちを変えるのは常に「百人の合意より、一人の覚悟」

まちづくり幻想を振り払うのに必要なのは、「百人の合意より一人の覚悟」だと常に思っています。

人の顔色をうかがって、全体での合意を優先するがために誰一人として主体性を持たない計画を組み立ててしまう、それもまた本書で取り扱ってきたみんなで決めれば良い幻想に起因しているものです。

官民双方のあらゆるレイヤーの人にとっても、そういう決断をするのはストレスの掛かることもありますから、可能であれば回避したいと思うのが人間ではあります。

しかし本書で取り上げてきたあらゆる取り組みは、誰かしらが覚悟を決めて「やる」と決断して、従来からの幻想を振り払い、一歩を踏み出したからこそ成果につながっています。地域の当たり前、予定調和の中でやるのは楽かもしれませんが、その地域そのものが存亡の危機にあり、内向きで物事を解決しているのでは未来はありません。

地域事業を効果的にすすめるための逆算開発、民間資金調達の方法などテクニックは多数ありますが、それを知ったところで実行しないのであれば意味はありません。世の中に方法論は多数ありますが、それが組織の過去の意思決定や方法論に合わない時に捻じ曲げてしまうと、全く効果を発しなくなります。本書が方法論よりも大切な「考え方」にフォーカスを当てたのは、そこにこそ本質があると思っているからです。考え方がしっかりしていれば、誰から教わることなく、然るべき方法論に自分たちで行き着きます。

これは不思議なもので、地域で奮闘している人たちが集まれば、大抵起こることは同じ、抱える問題も共通点ばかりです。つまりはどこの地域も大差はそれほどなく、ぶち当たる壁も似ていて、そのような苦しい局面でも責任回避の意思決定をしない、集団迎合を安易にしないのが共通するのです。喧嘩すればいいのではなく、そこは柔の精神です。個人の人格的な戦いではなく、「地域の未来」に向けて話をすればどんな人でも地域をめちゃくちゃにしたい、どうなっても構わないとまで言い切る人はいないものです。

より高い次元での共通目標さえ確認されれば、その山にどう登るかの違いがあったとしても、それぞれの道で登ればいいわけです。一人の覚悟を互いに尊重すれば、それぞれの道で山を登っていく。結果として誰が最初にたどり着くかわからないし、もしかするとたどり着くことすらできないかもしれない。ただ、どの道を行くかと議論だけで山を登らない人よりもよほどましですし、チャンスは必ずあります。

まちづくり幻想という壁を壊し、不安や葛藤を超えるしかありません。最後は、自分がどうしたいのか、覚悟を固め、行動できるかが問われています。

おわりに

２０２０年が終わり、２０２1年に入った途端に再び緊急事態宣言が発令されることになるなど、新型コロナウイルスに翻弄される時代が続いています。コロナ禍は、様々な情報が発信されても、まず立ち止まり、自分なりに調べてみて、考えることが大切であると教えてくれました。

これは地域再生においても常々重要視されることです。成功事例だともてはやされる巨大開発施設も、その運営会社、テナントなど各社の決算状況などを見ていけば、そもそもお金が回っていない状況にあることがわかります。実はキャッシュフローもマイナス、Ｐ／Ｌも赤字という状況でも、政策的な文脈に則っているものは「成功」と言われたりするのです。

つまり財務諸表を調べればわかるはずのものも、コンパクトシティといったような表面的なコンセプトばかりに左右されて、内実が最も現れる決算を見ていないということが多くあります。これは地方の人が、ではなく、霞が関の人でもそうなのです。

本書はこれまで私が書いてきたどの書籍ともまた異なる、「考え方の規範」について書いたものになっています。言いたいこと、言わんとしていることは一貫していますが、これまでの書籍では、自らの体験に基づき事業のポイントをまとめたり、政策的な問題にフォーカスを当てたりしたのですが、いくら方法論を説いたところで「それが必要」と考えてもらえないことも多くあります。それでは、無駄な道具と同じです。

そこで本書では3つのポイントを踏まえて伝えたいと思い、書きました。

まず「ここまで考える必要がある」という領域を広げることの重要性の共有です。同時に、大切なことは大抵面倒なことなので、面倒なことこそ大切だと思うこと。同時に、まずは個人や少数チームで始めて近い成果を挙げることが大切ではあるものの、その先に行くためには仲間を増やそうということです。

考える範囲の拡張が必要

様々な地域で質問されて回答しても、双方で話が通じないことがあります。

どうして決算とか数字をみないのか、というのはそもそもそんなことが必要とは思っていないし、専門家すら言わないグループで検討しているのです。皆で合意し、国から予算をもらい、立派なものを作れば地域は活性化する、という共有解が成立していて、何をつくるかばかり議論をしているのに、土台から間違っているのに、その上に建てるものの議論ばかりしていては、良い結果になるはずもありません。

将来の難しい数字のことや、しかもそれが失敗したらどれくらいの政策予算がなくなるかまで考えていないのです。考えない人が悪いとか、バカだという意味ではなく、「そもそも考える範疇に設定されていない」ということが問題なのです。だからこそ、「そこまで考える」ことが大切だとわかれば、物事は好転するのです。本書で触れてきた、前に動き出している地域は官民ともにそれを何らかのカタチで、意識を拡張し、成果につなげています。

かく言う私も、地域に関わっていた高校1～2年の頃に、事業的なものがないと続かないとは全く想像だにしませんでした。高校3年から会社経営を通じて地域と関わるようになった際には会社経営という視点が持ち込まれましたが、まだ地域全体の経営という視点は欠落していました。大学に入りエリア単位での経営という視点がないといけないと考え、海外調査などもするようになって、ようやく地域の持続的発展のあり方について視野が広がると共に、より広い意味でのマネジメントの必要性を認識するようになったのです。商業分野だけでなく、最近では建築分野、農業分野、教育分野など幅広いところにも携わる機会が増加しています。

毎年最低３つは、人生でこれまでやったことがないことへの挑戦を目標にしており、常に自分の意識の範囲の拡張をもっていかなければならないと思っています。なぜならば、あらゆる人にとって自分の意識範囲とは、世界そのものだからです。まちづくり幻想を振り払い、意識する範囲をより広げ、客観的に見つめ直したりする時間を持てば、個別の取り組みも、地域の未来もより一層見えるようになると思います。

大事なことは面倒なこと

宮崎駿さんの名言で「大事なことは、だいたい面倒くさい」というものがあります。地域においても同様で大事なことは、だいたい面倒くさいのです。だから手を抜いて、一応予算が降りるための内容だけ考えればいいよということになったり、下手に反対をして揉めるくらいならしゃんしゃんで会議は終えたほうが自分も皆も楽だよ、ということになったりするわけですが、それでは「大事なこと」を失うことになるのです。

逆に言えば「あー面倒だな」と思うことがあれば、それは「大切なこと」なのです。地域で事業を立ち上げれば、本当にあれこれとトラブルが起きます。本当に面倒だなと思うことが多々ありますが、結局そこでどうにか踏ん張ると成果につながり、さらに次の取り組みに生きていきます。

本書に書いたことは大抵面倒なことです。こんなこといちいち考えずに、予定調和で、適当なところで手を打ったほうが楽なのですが、それでは地域において望ましい未来に向かうことは難しいでしょう。本当に何かを10年前、20年前に興した地域は、浮き沈みはあれど、やはり何もしなかった、誰も面倒なことと向き合わなかった地域とは格段に違う良い地域になっています。

それは地域を根底から変えるほどのことでなくても、何もしなかったところとは違う、キラリと光る魅力があり、次なる商品が作られたり、新たな人が集まるサイクルができています。面倒なことは大抵多くの人はやらないので、自分がやればその成果は裏切らないのです。

世の中は需給でできていて、誰しもがやりたがる、楽なことというのは大して残りません。次から次へとやる人がいるからです。だけど、誰もやらない面倒なことをやり遂げると、それは残るものになります。

早く行きたいのか、遠くに行きたいのか

また、アフリカのことわざに「早く行きたければ、ひとりで行け。遠くまで行きたければ、みんなで行け」という言葉があります。

地域におけるプロジェクトも同じです。すぐに、早く動くためには自分だけでやったほうがいいことはたくさんあります。事業の基本は限界まで一人でやってみるということが大切なこともたくさんあります。

しかしながら、それでは限界があるのも確かです。そこで少数のチームくらいには拡張して進めていくことが必要になります。「まちづくり幻想」を振り払えた少数のチームを作り、挑戦する、個人としての覚悟が最初の一歩だと本書でも繰り返し述べたとおりです。

一方で、遠くまで行こう、つまりはある程度の大きなことを進めていくことも、時には必要です。これは、一人で、少数で挑戦を続けていきながら、まわりの人たちが持つ「まちづくり幻想」を徐々に振り払っていくことによって実現されると思います。その

ためには、最初に少数で幻想を振り払って取り組んだ事業で成果を挙げて、見せることが大切です。「論より証拠」です。いくら説得しても駄目な人でも、目の前でカタチになり、それが多くの方を巻き込み成果を挙げていくと認めざるを得なくなります。この時に懐深く、迎え入れてしまえば、もうこっちのものです。

本書でも度々紹介した都市経営プロフェッショナルスクールは、そういう考え方から仲間とスタートしています。表面的な技法を伝えるのではなく、考え方、物事の向き合い方を根本から共有することの大切さを考え、半年以上の時間を共にして学び、各地で実践する仲間を増やすために続けてきました。350名を超える卒業生となっていますが、素晴らしい成果をあげる方々が続々と現れていることが心から頼もしく、また私自身にも刺激になっています。同時に、各地のメンバーが繋がり、自主的な企画を開催し、互いのプロジェクト支援も始めており、自分たちではない発展を遂げているのも非常に面白いです。

このように自分で挑戦することと共に、その上で仲間が増えていくこともまた必要です。仲間とは別に意識を全てともにし、常に仕事をする必要はないのです。普段はそれぞれが然るべき事と向き合い、語り合うことがたまにあれば、気づけば各地域で様々な動きが起こり、結果として地域の、日本の、世界の未来ができるのです。

そのような想いを持って、本書ではあえてうまくいかない構造の根底にある考え方の規範に踏み込みました。

本書はあくまで様々な地域で多くの悩みを抱えながら、幾度となく心が折れそうになりながら、一人涙することがあっても挑戦を続けている方にとって、多少なりとも力になれば、と思っています。ぜひその取り組みを続けてください。やろうと思っていたけれどなかなか踏み出せなかった人は、ぜひ本書を読んで、考え新たに、今日から一歩を踏み出してください。


私も挑戦を続けます。共に頑張りましょう!

そして一日も早く、新型コロナウイルスによる混乱が収まり、多くの人たちと一つの場所で時間を共にできることを心から楽しみにしています。自主開催の勉強会「狂犬ツアー」なども開催しますので、リアル、オンライン含めてぜひその際には参加して頂ければと思います。各地から集まる多くの仲間と知り合えます。

最後に本書の編集にご尽力頂いた坂口惣一さん、また執筆中に様々な形で協力してくれた家族と仲間に心より感謝いたします。

２０２１年2月吉日

この本は、地域にまつわる「幻想」に気づき、それを変えていこうと一歩踏み出すことをめざして書かれました。まず、SNSで「#まちづくり幻想」のハッシュタグとともに、あなたが経験した幻想や、その対処法を投稿してください。仲間にシェアすることで、現実に向き合い、地域をよくしていく行動の輪を作りましょう。

Twitterでは著者の木下斉・本人（@shoutengai）ができる限り、目を通していきます。

〈参考文献〉

・高根正昭『創造の方法学』講談社、1979年
・渋沢栄一『論語と算盤』角川学芸出版、2008年
・中村良平『まちづくり構造改革―地域経済構造をデザインする』日本加除出版、2014年
・飯田泰之ほか『地域再生の失敗学』光文社新書、2016年
・諸富徹『人口減少時代の都市　成熟型のまちづくりへ』、中公新書、2018年
・川崎一泰『官民連携の地域再生―民間投資が地域を復活させる』勁草書房、2013年
・伊勢昇平『ブルーチーズドリーマー 世界一のチーズをつくる。』エイチエス、2019年
・柳澤大輔『鎌倉資本主義』プレジデント社、2018年
・市来広一郎『熱海の奇跡』東洋経済新報社、2018年
・手塚純子『もしわたしが「株式会社流山市」の人事部長だったら』木楽舎、2020年
・清水義次ほか『民間主導・行政支援の公民連携の教科書』日経BP、2019年
・増田寛也『地方消滅』中公新書、2014年
・猪谷千香『町の未来をこの手でつくる 紫波町オガールプロジェクト』幻冬舎、2016年
・村岡浩司『九州バカ 世界とつながる地元創生起業論』サンクチュアリ出版、2018年
・島村菜津『スローシティ 世界の均質化と闘うイタリアの小さな町』光文社新書、2013年
・村上敦『ドイツのコンパクトシティはなぜ成功するのか：近距離移動が地方都市を活性化する』学芸出版社、

２０１７年
・藤野英人『ヤンキーの虎』東洋経済新報社、２０１６年
・富田高慶『報徳記』岩波書店、１９３３年
・土志田 征一『経済白書で読む戦後日本経済の歩み』有斐閣、２００１年
・デービットアトキンソン『新・観光立国論』東洋経済新報社、２０１５年
・ジェイン ジェイコブズ『発展する地域 衰退する地域：地域が自立するための経済学』筑摩書房、２０１２年
・エンリコ モレッティ『年収は「住むところ」で決まる』プレジデント社、２０１４年
・ロバート・キーガンほか『なぜ人と組織は変われないのか』英治出版、２０１３年
・ピーター Mセンゲ ほか『学習する組織』英治出版、２０１１年
・マシュー・サイド『失敗の科学 失敗から学習する組織、学習できない組織』ディスカヴァー・トゥエンティワン、２０１６年
・戸部良一ほか『失敗の本質』中央公論新社、１９９１年
・宇沢弘文『宇沢弘文　傑作論文全ファイル』東洋経済新報社、２０１６年
・砂原庸介『新築がお好きですか？日本における住宅と政治』ミネルヴァ書房、２０１８年
・原田泰『都市の魅力学』文春新書、２００１年
・人口問題研究所「将来推計人口・世帯数」http://www.ipss.go.jp/syoushika/tohkei/Mainmenu.asp
・東京都「東京都の人口（推計）」https://www.toukei.metro.tokyo.lg.jp/jsuikei/js-index.htm

初出
東洋経済オンライン
プレジデントオンライン
ダイヤモンドオンライン
GLOCAL MISSION TIMES

書籍化にあたり大幅に加筆修正のうえ、
書き下ろしを加え、構成した。

著者略歴

木下 斉（きのした・ひとし）

1982年生まれ。高校在学時からまちづくり事業に取り組み、2000年に全国商店街による共同出資会社を設立、同年「IT革命」で新語流行語大賞を受賞。早稲田大学政治経済学部政治学科卒業、一橋大学大学院商学研究科修士課程修了。08年に設立した熊本城東マネジメント株式会社をはじめ全国各地のまちづくり会社役員を兼務し、09年には全国各地の事業型まちづくり組織の連携と政策提言を行うために一般社団法人エリア・イノベーション・アライアンスを設立。15年から都市経営プロフェッショナルスクールを東北芸術工科大学、公民連携事業機構等と設立し、既に350名を超える卒業生を輩出。20年には北海道の新時代に向けた「えぞ財団」を仲間と共に発足している。また内閣府地域活性化伝道師等の政府アドバイザーも務める。著書『稼ぐまちが地方を変える』『凡人のための地域再生入門』『地方創生大全』等多数。

SB新書　538

まちづくり幻想（げんそう）
地域再生（ちいきさいせい）はなぜこれほど失敗（しっぱい）するのか

2021年3月15日　初版第1刷発行

著　者　木下（きのした） 斉（ひとし）

発行者　小川 淳

発行所　SBクリエイティブ株式会社
〒106-0032　東京都港区六本木2-4-5
電話：03-5549-1201（営業部）

装　幀　長坂勇司（nagasaka design）

組　版　野中賢（システムタンク）

本文デザイン　荒井雅美（トモエキコウ）

協　力　鷗来堂

編集担当　坂口惣一

印刷・製本　大日本印刷株式会社

本書をお読みになったご意見・ご感想を下記URL、
または左記QRコードよりお寄せください。

https://isbn2.sbcr.jp/09122/

ISBN 978-4-8156-0912-2